P9-BIG-938

Las VIRTUDES del PÁJARO solitario

Juan Goytisolo

Las VIRTUDES del PÁJARO solitario

ALFAGUARA   BOLSILLO

ALFAGUARA

© 1988, Juan Goytisolo
© De esta edición:
   1994, Santillana, S. A. (Alfaguara)
   Juan Bravo, 38. 28006 Madrid
   Teléfono (91) 322 47 00
   Telefax   (91) 322 47 71

• Aguilar, Altea, Taurus, Alfaguara S. A.
Beazley 3860. 1437 Buenos Aires
• Aguilar, Altea, Taurus, Alfaguara S. A. de C. V.
Avda. Universidad, 767, Col. del Valle,
México, D.F. C. P. 03100

   ISBN:84-204-2720-9
   Depósito legal: M. 6.245-1997
   Printed in Spain - Impreso en España
© Diseño de colección:
   Miriam López y Jesús Sanz
© Ilustración de la cubierta:
   Miguel Condé

SEGUNDA EDICIÓN: ABRIL 1997

En la interior bodega
de mi Amado bebí
SAN JUAN DE LA CRUZ
Cántico espiritual

un vino que nos embriagó
antes de la creación de la viña
IBN AL FARID
Al Jamriya

I

había aparecido, se nos había aparecido, en lo alto de la escalera un día como los demás, ni más ni menos que los demás

(no, no me vengáis ahora con fechas, qué importancia tiene a estas alturas, después de lo ocurrido, una cifra engañosamente exacta?)

mientras nosotras íbamos y veníamos despreocupadas del salón a los vestuarios, cruzábamos el vestíbulo contiguo a las duchas en donde algunas jóvenes aún airosas y las ya muy baqueteadas se entregaban con la misma fruición a los ritos lustrales y, acodadas en el mostrador de la Doña o la repisa de semanarios ilustrados, contemplábamos a las parejas de los bancos laterales, las mesas cuidadosamente dispuestas por el mozo, las lámparas de vidrio translúcido y pie borneado de bronce, alineadas como las fasces de los lictores decía el ama al evocar su historia, los fastos y esplendores de la inauguración imperial

(imperial, sí, imperial, no seáis escépticas, vivían, reinaban Napoleón y Eugenia, fue un magno acontecimiento presenciado en su día por la flor y nata de la sociedad)

peldaño tras peldaño, con precaución a causa
del peso y volumen del calzado
(los gigantescos zapatones o zuecos de aldeana)
vimos surgir sus piernas zancudas e interminables, el inverosímil pantalón de espantapájaros
ceñido a su espectral silueta de títere movido
por invisibles cuerdecillas o alambres
había entrado como todo el mundo por la bóveda de la puerta cochera, atravesado el patini-
llo de bañeras decimonónicas transformadas
ingeniosamente en jardineras con plantas de
hoja perenne, proseguido el camino a la escalera y sus farolas de tronada majestad, abierto la
puerta de acceso a nuestro diezmado y abolido
reino, pagado sesenta y cinco francos a la caje-
ra rubia dispensadora de billetes, jaboncillos,
champús y demás elementos de belleza y aseo
corporal?
vaya preguntas después de tanto tiempo, como
si quisierais revivir los minutos que precedieron al hongo deslumbrador de Hiroshima o la
sepultura de Pompeya o Herculano, no había
grabadoras ni vídeos, esas cosas, hijitas, ocurren
así por las buenas, como el desvirgue de la sota
de bastos!
desde la escalera, probablemente encorvada a
causa de su increíble altura, había distinguido
primero la balanza descompuesta en la que años
atrás vigilábamos aprensivamente nuestra línea, el vestíbulo que atravesábamos ilusionadas

u ociosas camino de la cámara oscura o las taquillas del guardarropa, luego los zuecos se habían posado con cautela en los peldaños inferiores ampliando el campo de su visión y, simultáneamente, el de las sobrecogidas espectadoras, gran túnica suelta sobre sus extremidades filiformes, bolsas o refajos con docenas de muñecas, una capa flotante de color lila y rosa en la que se envolvía como en una bandera el rostro?

no seáis ansiosas, no se divisaba aún, todo acaecía con venenosa lentitud, sus movimientos eran viciosamente lánguidos, tal vez bajo el velo o las greñas (el velo discontinuo y espeso formado por sus greñas), abarcaba ya el salón de descanso, los asientos laterales de gastado hule rojo, farolas Segundo Imperio, frescos murales de paisajes orientales, colinas verdes, jinetes, siluetas con albornoces y haiques, algún espigado alminar de mezquita, una media luna nevada, cuadro ambiental, nostálgicamente familiar a nuestros esforzados galanes de un día, elaborado, según la Doña, por una gran artista, una discreta asidua de aquellos aposentos consagrados a la beatitud y limpieza del cuerpo, antes, mucho antes de que nosotras, incluso las más intrépidas veteranas, nos iniciáramos en los ritos y ceremonias del templo, buscáramos la ternura agazapada en las pupilas del tigre, ese arrebato luminoso y brutal a la asfixiante sordidez de nuestras vidas, paraíso, pa-

13

raíso llameante y fugaz como todos los edenes del
mundo

pero no me interrumpáis ni aun si a primera vista me extravío, mi discurso, con sus sesgos y que-
braduras, tiene un hilo conductor, sé exactamente el punto en el que abandoné la descripción, los
zuecos o zapatones de ella en el último peldaño de
la escalera, la cabeza, su cabeza al fin, recatada no
sólo por el velo tupido de las greñas sino también
por un vasto sombrero de alas de murciélago,
negro, rigurosamente negro, siniestro, aterrador,
statua viva del Commendatore, una verdadera
aparición

gritos?

nadie tenía ánimos de gritar, literalmente fla-
sheadas por la irrupción, el impacto brutal de la
descoyuntada silueta, petrificadas os digo en el
punto preciso en el que nos hallábamos al entrar
ella, incluida la Doña, sorprendida en su puesto
habitual de la barra con su estilizado maquillaje
y abundosa cabellera naranja, incapaz también,
pese a sus tablas y proverbial soltura de lengua,
de articular una palabra, un mero comentario o
muestra de condena de aquella malhadada intru-
sión en sus dominios, hipnotizada como nosotras
por la zafia gravedad de los zapatones, enjuta
lobreguez de las piernas, capa o mortaja de am-
plio vuelo, bolso arracimado de muñecos, greñas
trenzadas y sombrías, ojos emboscados en la
espesura, sombrero tutelar cuyas alas parecían

convocar imperiosamente el vuelo de una bandada de cuervos

os miraba?, fijaba la vista codiciosa especialmente en alguna?

cómo diablos saberlo, las greñas lo cubrían
todo, pero se adivinaba detrás el fulgor e incandescencia de unos ojos, su pupila escrutadora y
voraz, ducha en el arte de vislumbrar por entre
la maraña de los velos los componentes de la
escena y sus actores congelados, ningún hálito
ni respiración, os lo juro, sino silencio, puro
silencio, todo suspendido al movimiento plo-
mizo de su calzado, esos zuecos plantados en el
lugar en donde descargaba la escalera, prestos a
girar de derecha e izquierda, avanzar quizás a la
barra del minibar en el que la Doña la contemplaba como una falena pillada en el círculo de
una intensa luz veraniega, obsesa, cegada, crepuscular, resignada con incaica majestad a un
destino escrupulosamente fatal, a una llegada
prevista en sus tratados de astrología secretos
sobre las plagas del final del milenio, lectura
paciente de signos agoreros del desastre que se
cernía y bruscamente cobraba su presa, cómo
explicar si no su inmovilismo y carencia de
reflejos de defensa, el terrible desamparo de su
expresión mientras la Aparecida desgarbada y
arisca se enseñoreaba de su reino, procedía a flo-
rear caprichosamente a las víctimas, apuntaba
su índice brujo lo mismo a la anciana de carnes

15

fofas envuelta en su toga de senadora que a la novicia de chinelas y clámide, vernal y sobrecogida por su presencia?

huir, romper el hechizo, desertar del onírico terror del subsuelo?

estábamos atrapadas, hijitas, no podíamos resollar ni movernos, la tan temida había pasado del ámbito de nuestras pesadillas a encarnar aquella alegoría de la calva sembrando la cizaña, negro sombrero de alas anchas, faz velada, capa con vuelos de mortaja, extremidades filiformes, zuecos lentos, macizos, de ponderosa gravitación había empezado a dejar caer las muñecas, como si arrojara puñados de simiente a aquella mansión condenada?

no, todavía no, tenía el regazo preñado de figurillas de apariencia humana, desnudas o con un simulacro de ropa, eso no os lo puedo garantizar, no había iniciado aún su caminata, se contentaba con acendrar el brillo de las brasas, sus pupilas afiladas en la negrura, demorando pérfidamente el instante de una clemencia o ejecución a todas luces aleatorias

la Doña?

sí, la primera, había que golpear de modo certero y rápido el pilar de sostén de su reino para neutralizar la fuerza del mito e impedir cualquier amago de resistencia, los augurios formulados por ella misma debían cumplirse al pie de la letra, la intrusa que irrumpía en el cíclico calendario solar y desbarataba de rondón nuestras vidas exigía la aniquilación prioritaria de la teogonía que sustentaba la casa, estaba escrito que teníamos que asistir impotentes a su castigo e inmolación

pálida, muy pálida, su sangre parecía haberse refugiado de golpe en la tintura pelirroja del pelo, a través de su piel mortecina y lisa, como en una de esas láminas multicolores destinadas a los estudiantes de Medicina, se transparentaba la anatomía completa del cuerpo con sus músculos superficiales y profundos, órganos, vísceras y esqueleto, todo diáfano y superpuesto, el corazón con sus aurículas y ventrículos, el voluble serpentín de los intestinos, el ya inútilmente complicado tubo digestivo desde el orificio bucal al despeñadero del recto

jadeante, asfixiada, boqueando como pez fuera del agua, desdichada criatura branquial, gelatinosa y medusea, paulatinamente reducida ante nuestros ojos al esplendor ígneo de la cabellera, su radiante peluca de amazona alimentada con la esponjosa absorción sanguínea de un organismo fláccido y descompuesto, celentéreo aplastado en el suelo con su cuero cabelludo de hebras bermejas, la mata de pelo artificial de la Doña, su prótesis dental de blancura perfecta únicos elementos salvados del naufragio, inmunes al zarpazo de la intrusa, a la implacable ejecución de la sentencia aquello nos desmoralizó qué hacer después de tamaña atrocidad sino permanecer acurrucadas y quietas con la vista clavada en el adefesio, contraer esfínter y labios, esforzarse en ocultar el terror sabiendo de cierto, como sabíamos, que estábamos a la merced de la del vasto sombrero de alas anchas, faz velada, capa con vuelos de mortaja, extremidades filiformes, zuecos lentos, macizos, de ponderosa gravitación?

el mecanismo devastador de nuestras vidas se había puesto en marcha

con dedo largo y seco, como el huso marfileño de una hilandera, apuntaba a venerables togadas y gladiadores recios, arrojaba sus figurillas humanas al suelo, asistía impasible al proceso de ruina que nos transmutaba en una masa blanda e informe, impregnada de humores, sobre la que flotaban diezmados, testimoniales, melenas, dentaduras, gafas, huesos recalcitrantes, archivo siniestro de signos identificatorios como en los filmes de los campos de exterminio exhibidos al ocaso de las walkirias nazis

Ella, la zancuda, giraba al fin sobre sus zapatones, abandonaba el berberisco salón de la Doña sembrado de mechones hirsutos y residuos de textura fundida, se internaba en la oquedad subterránea de las taquillas y el aposento nocturno de nuestros himeneos

(allí en donde, favorecidas de las tinieblas, habíamos sido descuidadamente felices)

procedía a la reducción fulgurante de sus presas
sin un grito de pavor ni demanda de auxilio de
éstas, como si la augurada, inexorable visión
de aquel perigallo de mujer hubiese arrambla-
do con el dispositivo entero de nuestras fuerzas, insectos inermes ante la fumigación pesticida, cobayas bruscamente irradiadas, todo
acaecía con puntualidad fascinante, médula y
masas encefálicas disueltas, secreciones y linfa
de aguanosa consistencia, figurillas convulsas,
achicharradas, el Horror, así con mayúscula y
hache, mientras Ella, con sus zapatones, capa
de vuelo y sombrero negrísimo de anchas alas
visitaba el patio de nuestras abluciones íntimas, la alhama de bruma rejuvenecedora y mi-
rífica, la Sauna de las Saunas diseminando imperturbable su semilla, tendiendo veloz el dedo
aciago, abrasando a experimentadas y novicias,
indultando caprichosamente a un galán, prosi-
guiendo con hierática solemnidad su ronda
macabra
escalera helicoidal arriba, treinta y tres
(sí, treinta y tres, bien contados los llevo!)
peldaños de hierro en los que posaba ruidosa-
mente los zuecos, sus ojos implacables guareci-
dos en la profundidad y reconditez de las órbitas,
toda ella maraña, velos de viuda, miembros desmadejados, regazo preñado de muñecos, fealdad
chirriante de espantapájaros, sombrero de alas de
murciélago cernido con insolencia heráldica

(excusadme, hijas, si en apariencia me contradigo, a veces la veía como un cuervo pero al cobrar altura, conforme subía, sus alas membranosas eran las de un vampiro directamente venido de uno de esos castillos que con ingrávida audacia coronan al parecer los picos fragosos de Transilvania)

asomaba el rostro al descansillo en el que nos reuníamos a platicar entre nosotras o acechar desde allí el ajetreo del corredor, incesante desfile de peplos y togas, ergástulas libres u ocupadas, cerradas de un portazo por algún coyundado galán a la nariz de las envidiosas, tiempos aquellos de anchura mental y física, espacio concebido especialmente para la dicha en el que el ama no ponía los pies jamás como si absorta en las labores de intendencia del subsuelo se desinteresara de nuestro ameno jardín de delicias, informada de todo en realidad por la cháchara de las más cotillas, del temple y encaje numantinos de una togada, las firmezas jamás desmentidas de un montaraz, el remolino armado por la modestia turbadora de una vestal con sus braguitas de nailon bordadas, al cabo de la calle la Doña, depositaria de nuestras cuitas y secretos de alcoba hasta el amargo cumplimiento de las profecías, el Mane, Thecel, Fares trazado en el muro de aquella babilonia sabrosa por mano aleve y furtiva

así pasan las glorias del mundo!

dónde son los galanes, las hermosas que con
una chica fosa en diez días cobriste y encerras-
te dando fin a las favoridas, decía la Lozana después de la epidemia y saqueo que arruinaron su
empíreo, pero ella, la Aldonza, con su jayán y
retiro asegurado a la ínsula fue más afortunada
que la patrona, charquillo apenas mayor que
la meada de una perra en celo, fundida hasta la
médula de los huesos en menos de lo que copu-
la una mosca, piel, tejidos, vísceras, esqueleto,
con excepción de la peluca bermeja y dentadu-
ra de sonrisa irrisoria
(perdonad el desahogo, mi insistencia morbosa
en esa alucinadora escena,
vuelvo a la otra, a la intrusa despatarrada en lo
alto de la escalera)
imaginad el cuadro, diáspora febril, éxodo culi-
prieto de las togadas, enloquecido correcorre de
las niñas, ilusorio suspiro de alivio de las atrancadas en las ergástulas, voces agudas de ha llegado,
ha llegado, nos ha tocado el turno, ha derretido
los sesos y fundamentos del ama, nada podemos
contra ella ni su sombra maligna, su mirada atraviesa e irradia una onda mortífera, le bastan segundos para convertirnos en piltrafas!
luego movimiento y voces habían cesado, las que
se hallaban en los corredores procuraban fundirse
con la lividez de los muros al advertir que las
puertas de las celdillas se abrían como aspiradas
y descubrían a solitarias o parejas agazapadas jun-

to a las literas con ese ademán patético y vano de los fugitivos de un volcán petrificados para siempre bajo el diluvio de cenizas y lava, vivas, vivas aún, pero ya mudas, impotentes, sumisas a la mirada glacial y avasalladora inmediatez del pajarraco, víctimas propicias de aquella devastación programada, descomposición súbita de nuestro organismo en carroña, consumidas una a una como insectos bajo un rayo solar potenciado por lupa monstruosa, abrasadas, licuadas, fundidas, sin gritos de terror ni ademanes de espanto (no, no, no exagero

así la veía, la veo, despierta o en sueños, cada vez que su imagen me asalta)

cruel, insensible, hierática, sañuda con inocentes y desamparadas, aureolada con el halo de su prepotencia, el crudo temor asociado a sus siglas, ese sentimiento de fatalidad que nos abrumaba desde su anunciada visita y conducía a la resignación de las bestias camino del matadero

el brillo ofuscador de la gran máquina informativa nos había predispuesto insidiosamente a la conformidad y desánimo, nadie pensaba entonces en remedios ni curas, la plaga se había abalanzado a nosotras como un halcón en fiera y vertiginosa calada, la vida era una ruleta rusa, no sabíamos si la zancuda del sombrero y los velos nos apuntaría con el dedo o nos concedería una prórroga de meses o semanas, el pánico asolaba nuestras querencias ya moribundas por falta de clientela y las abandonaba a un vacío espectral, cierre por orden municipal o reiteración de amenazas, candado herrumbroso en las puertas, aviso agorero de defunción o cambio de propietaria

(mi imaginación recrea a menudo el espacio abolido, alhama y piscina secos, salón con murales vacío, pasillos moteados del sol polvoriento, celdillas con literas inactivas, soledad de habitaciones beatíficas y ahora condenadas)

la sembradora de cizaña había agotado su carga de muñecas y avizoraba en silencio los estragos de su visita, desechos de consistencia fungosa blanca o derretida, acumulación de pelucas y prótesis dentarias, charquillos todavía humeantes, materias residuales de increíble procedencia orgánica, las imágenes de muerte y destrucción parecían revigorizarla, su aspecto, figura, desproporción de miembros, capa, greñas, sombrero eran exactamente los de la perversa heroína del cuadro

(cómo diablos, me pregunto, había podido el artista presentir su irrupción desde una distancia de casi ochenta años?)

parecía de pronto satisfecha de su trabajo

(así interpretamos por lo menos su agria y estridente sonrisa)

volvía pies atrás, tendía de nuevo las zancas lastradas por el grosor y peso de su calzado, adaptaba flexiblemente la silueta a las espirales de la

escalera, recorría alhama y piscina con aires de
dueña, husmeaba el apocalipsis de la cámara oscura, se deleitaba en el espectáculo del salón, se
retiraba de las ruinas del edén con el mismo frío
desdén con el que había penetrado
(seguía la rubia en su puesto de la taquilla?)
nadie supo jamás si le abonó la entrada, el pre-
cio ya final de sesenta y cinco francos

las horas, los días, las semanas del jardín, absortas en incesante, boccacciana plática, reconstrucción minuciosa de lances y aventuras, instantes de dicha y fulgor, de briosa acometividad remansada, realidades o ensueños expuestos con ese afán de esmero y perfección que dicta el exilio, fidelidad escrupulosa a los ritos del mundo extinguido, agujas del reló detenidas en una fecha infausta

libradas de la catástrofe o plaga acomodadas en sus meridianas y sillones de mimbre de aconchado respaldo, formando círculo alrededor de la mesa con la bandeja de refrescos, en la vasta terraza marítima de balaustre musgoso y macetones de hortensias, sereno, caluroso atardecer sin el alivio ocasional de la brisa

abanicos, suspiros, palabras susurradas, un grupo de nobles damas en guerra sosegada contra el tiempo y su avariciosidad, alevosía, inconstancia, trayectoria quebrada y llena de trampas, pausas de beatitud mentida, como abejas libadoras de recuerdos en la paz recoleta de sus celdillas, incrédulas aún de los estragos de la cruel visita del pajarraco, esa serpiente de verano, habían dicho al comienzo, inventada por los periodistas

vestidas con la elegancia sonámbula que exigía la escena, sombreros arborescentes, boas, plumas iguales a los de la mansión desvanecida y lejana, inmovilizadas también en la ilusión esplendorosa del atardecer, la apoteosis de tonos rosa pastel en los lejos del cuadro que representábamos, cada una recitando o mimando su propio papel en el drama, evocación de pasadas glorias en los dominios clausurados de la Doña, el mundo para siempre dividido en dos, antes y después de la condenación, del diluvio abrasador de cenizas y lava

no podíamos salir de aquel espacio acotado, la ficción de un jardín de reposo con sillones, hortensias y vistas marítimas, el sueño compensatorio de un hotel con aires de balneario, forzadas a mantener las apariencias de dignidad y nobleza que nos imponía la desgracia, todo era fachada y lo sabíamos, el líquido se eternizaba en los vasos, nadie retiraba la bandeja ni reponía los cubitos de hielo, ningún camarero se asomaba a inspeccionar la terraza

habíamos renunciado con tino a cualquier reclamación, batir palmas o tocar el timbre desconectado, vivíamos en un vacío de campana neumática, pasados los telones, bastidores y muros de cartón piedra se extendía un territorio ignoto infestado de peligros, nos aferrábamos como actrices novatas al texto de la representación cotidiana, historias de amoríos en casa de la Doña, referencias nostálgicas a un galán, rememoración puntillosa de nuestras apacibles jornadas

(cómo era posible que el sol prolongara indefinidamente su incendio, las nubes no mudaran su lisonjera rubicundez y un ave perfilada con inocente esbeltez se cerniera por espacio de horas sin mover siquiera las alas?)

nos aterraba la idea de dejar el lugar, transgredir los límites de nuestro teatro y enfrentarnos a la brutalidad de lo que acaecía, discursos filtrados a través de telones y bambalinas, consejos elementales de prudencia difundidos en sordina por altavoces, mensajes radiofónicos o televisados, anuncios de medidas draconianas tocante a la higiene, prohibición rigurosa de consumir verduras y leche, órdenes de guarnecer de burlete ventanas y puertas, permanecer en el interior de pisos y viviendas, fregar cuidadosamente los suelos, sacudir y frotar con un cepillo vestidos y prendas expuestos al polvo y contaminación del aire irradiado

voces guturales, conminatorias que agravaban la conciencia de nuestro exilio, añadían interrogantes e incertidumbres a la ya agobiadora sensación de precariedad, lo que ocurría fuera parecía responder como un eco a la devastación interior que nos asolaba, aumentaba el acoso y el cerco, nos imponía aquel engañoso proscenio cuyo público éramos nosotras mismas, reiteración de soliloquios y letanías, historias y más historias destinadas a tener en jaque al silencio

(no, no estábamos en la terraza de un hotel, las puertas y ventanas que comunicaban en apariencia con los salones y comedores habían sido pintadas con astucia para mantenernos ilusionadas, todo era decorado y cartón, el sol rotundo y bermejo, las nubes rosadas del atardecer, los macetones de hortensias, las meridianas)

condenadas a hablar para prorrogar la vigencia de nuestro teatro, esbozar gestos y ademanes hueros, abanicarse con exquisitez, llevarse a los labios un vaso vacío depositado en la bandeja de los refrescos, extasiarse de la apócrifa quietud del crepúsculo, acudir al mirador representado por los balaustres y atalayar desde él, con simulado interés, el mar inmóvil, irreal, figurado

(cuándo llegarían los pescadores, suspiraba alguna, aún no se divisaba las barcas)

ademanes y frases inanes cuyo objeto era añadir un toque de perfección a la escena emulando en subir el tono de voz, subrayar el circunflejo sombrío de las cejas, curvar el meñique enjoyado con rigor de espolón, desplegar enfáticamente el abanico como majas en mantilla en una barrera, cubrir en fin con el coqueteo de nuestra histeria el zumbido obsesivo de los altavoces que nos sitiaban, consignas de evacuación, toque de queda, referencias ominosas a la epidemia, isótopos radiactivos, yodo 131, saturación tiroideal, rayos gamma

vivíamos otra vez entre corchetes, momentáneamente amnistiadas o era el comienzo de una nueva y difusa agresión como la que nos había mudado en fantasmas?

ninguna de nosotras lo sabía ni quería saberlo, quirománticas y adivinadoras habían muerto, nadie se atrevía a consultar los horóscopos, vivíamos, nos alimentábamos exclusivamente del pasado, un retorno a nuestros días luminosos adornado y embellecido por el recuerdo, exhumación fugaz de lances anodinos o jocosos, de los que cada una pretendía imponer su propia versión, asumir un protagonismo quimérico

y luego las peleas

los no, no fue así, yo estaba allí, lo presencié todo, las cosas no pasaron como las cuentas, tú estabas en las banquetas del fondo con tu galán y ella, la Seminarista, entró así, miradme bien, porque soy capaz de reproducir con exactitud todos sus gestos, enturbantada con la toalla, adelantando su jeta de hiena con aire provocativo, ojos nimbados de khol, manos en las caderas, parecía que iba a comerse el mundo, arrebatarle el novio a la otra, arañarla como una rabanera

pero nadie miraba ya porque era la enésima repetición de la trifulca y no nos sentíamos con

fuerzas para cortarla, mejor dejarla con su ritor-
nelo mientras, cansadas ya de estudiarnos el
rostro y atuendo en los espejitos, nos incorporá-
bamos a estirar las piernas, arrimar la nariz a las
puertas y ventanas pintadas, contemplar con
desaliento balaustrada y macetones de hortensias, el risueño telón del atardecer con el sol pos-
tizo en las nubes orondo como una naranja
no había escapatoria alguna, estábamos en el
interior de la nasa y el volumen creciente de los
altavoces corroboraba la inexorabilidad del asedio, cubría con la lentitud de la marea la forzada animación de la charla
pretendían amedrentarnos así, guiarnos como
ovejas descarriadas al redil, imponernos una
conducta conforme a la geometría glacial de sus
programas?
el refugio que habíamos creído hallar en el jardín, en la paz de unas semanas en el jardín
entregadas como fugitivas de siglos atrás al cul-
tivo de las artes de Sherezade se había revelado
falaz, nuestra presencia en el lugar era la de actrices de una obra no escrita obligadas a impro-
visar en el decorado de una terraza con vistas al
mar lo que un público invisible esperaba de
ellas, sin saber si este público existía de verdad
u obedecían tan sólo a los caprichos del misterioso inventor de la escena
un dios, un chiflado, un demiurgo, un poeta?
cabía la posibilidad de rebelarse, descolgar el

sol del telón, volcar la bandeja de los refrescos con los vasos vacíos, desafiar el poderío de los altavoces amenazantes?

ninguna de nosotras estaba segura de ello, subsistíamos apenas confusas y anonadadas, nos agarrábamos a cualquier bulo o madero ardiendo, la irrupción de la Dama de las dos sílabas nos había dado la puntilla, sobrevivíamos o sobremoríamos, la prórroga era una especie de condena ritual en la que a fuerza de soportar nuestro teatro aprendíamos a interiorizar el asco y desprecio a los demás, su odio inalterable a cuanto encarnábamos

qué más daba pararse o continuar?

fuera, los altavoces seguían aullando

había salido con el propósito de respirar, tomar unas bocanadas de aire, recorrer las viejas calles del barrio contiguo a los muelles en donde nos solazábamos antes del estallido silente de aquella bomba cuya onda diezmaba a la población pero respetaba con sabia previsión la integridad de los inmuebles

algo absolutamente genial, nos había explicado la Neutrona, graduada años atrás en el Instituto de Tecnología de Massachusetts, derrumba las defensas orgánicas de la gente sin atentar a los principios sagrados de la propiedad

(genialidad que, por cierto, no le había servido de nada, pues la Neutrona, como todas las de su peña de científicas, estaba desde hacía meses en New Calvary o Mount Olivet criando malvas) pero vuelvo a lo mío

a aquella decisión sin duda temeraria de dejar su escondrijo a fin de saber algo de las demás, averiguar el destino y vicisitudes de la comunidad, cuántas sobrevivían o habían muerto, intercambiar noticias, ponerse al día, escuchar consejos razonables y frases de consuelo

se había provisto (me había provisto?) de ante-
mano de un traje de organdí de color lila, con
vuelos de encaje y grandes lazos, collares de
abalorios, medallas y camafeos, medias blancas,
zapatos de tacón alto abrochados en el empeine
con joyas y diamantes falsos

maquillada como una máscara, cejas y pestañas
estilizadas, rímel, colorete, polvos de arroz, labios
en forma de corazón agresivamente escarlatas

sombrero de estructura arborescente con ra-
mificaciones, flores y frutas, artísticamente
engalanado de avecillas y plumas, mirífico,
turbador e irreal en su sofisticada y corrupta
hermosura

en una ciudad como ésta, se decía, nada mejor
que adoptar las apariencias insolentes de la
provocación para obtener el don de pasar inad-
vertida

pero era ella o yo?

pues me veo, la veo, desde dentro y fuera, con el
maquillaje, vestido y sombrero, cautamente
asomada a la puerta del modesto brownstone de
dos plantas, titubeando al bajar la escalera como si atravesase la pasadera de un navío sacudido por una tempestad arrebatada

el barrio ofrecía un aspecto hostil y fantasmagórico, viviendas atrancadas, locales y tiendas
clausurados por las autoridades sanitarias o aso-
ciaciones defensivas de vecinos, amenazas y
denuncias pintadas con esprai en los muros

FUERA CONTAGIOSAS
AQUÍ VIVE UNA ENFERMA
LA DEL QUINTO TIENE FIEBRE Y VOMITA
nuestros cubiles y antros de dicha habían sido pillados, sujetos al fuego purificador, reducidos a una convulsa armazón de ruinas abrasadas y un olor acre, pegajoso, tenaz, a desinfectante o carne quemada, flotaba en las calles y zonas desiertas próximas a los muelles y estaciones marítimas abandonadas desde hacía décadas por las compañías transatlánticas de navegación caminaba envuelta, medio esfuminada, en una neblina deletérea como la que emana al amanecer de las regiones pantanosas de la Luisiana, mis pasos eran los de una sonámbula, pese a la esmerada protección del maquillaje tenía el rostro perlado de sudor y me lo enjugaba, bajo los velos transparentes del sombrero, con un pañolín de hilo bordado, mi figura se destacaba en el fondo azul de la bruma crepuscular y patética, me sentía incapaz de reaccionar con urgencia a la gravedad del peligro que se cernía, la ronda callejera de los vecinos al acecho de las apestadas, qué hacer sino apoyarme desfallecida en un farol, emboscada en la fumarola que surgía del suelo y desrealizaba el contorno de los objetos?, un breve primer plano de los ojos resumía con elocuencia mi angustia, resistiría, mezquina de mí, aquella prueba?, sabría sacar fuerzas de mi visible y conmovedora flaqueza?, los transeúntes con

35

quienes me cruzaba se cubrían la boca con la mano o me condenaban con un movimiento inquisitorial de los dedos, ninguno se apiadaba de mi esplendor marchito ni me dirigía palabras de aliento, se alejaban velozmente con el odio y temor pintado en las caras, el espectáculo de mi vulnerabilidad aguijaba su rencor y su saña, se disponían quizás a denunciar mi presencia a los demás, correr al encuentro de los autores de los pillajes e incendios, debía volver sobre mis pasos y ponerme a salvo sin pérdida de tiempo pero el fatalismo, la zozobra, el calor me inmovilizaban, quería escapar y no podía, el cuerpo no obedecía a mi voluntad, sus movimientos eran morosos y tardos, una fascinación similar a la de la presa atrapada en los filamentos babosos pacientemente segregados por un arácnido me mantenía inerte y cloroformizada, las voces, ladridos y órdenes arreciaban, los malsines habían cumplido su función y la jauría acudía a cobrar su víctima por las travesías muertas del barrio, mis perseguidores, según pude advertir, llevaban guantes de goma y mascarillas para prevenirse del contagio, yo huía de ellos contra la furia desatada del viento que agitaba el plumaje y los velos de mi sombrero y sentía cada vez más cerca sus gritos, exclamaciones, jadeos, qué iban a hacer de mí?, enjaularme?, exhibirme en las calles como un trofeo?, aniquilarme con una ráfaga de sus pesticidas?, rostros herméticos, oxidados por la corrosiva salinidad del aire se sucedían a mi paso como un travelling interminable, todo contribuía a obstaculizar la desigual carrera, el talón agudo de mis zapatos se torcía, había perdido el sentido de la orientación y no sabía siquiera adónde me llevaban mis pasos

lo que cuentas lo viste en una película, me dije a mí misma

era cierto?

digna, señorial, ofendida, interrumpí el relato

los cazadores se presentaron un buen día con sus redes y rastrearon metódicamente los árboles, setos y espesuras de avenidas y parques en donde solíamos darnos cita, los grandes ficus, magnolios y flamboyanes a cuya sombra comentábamos los acontecimientos que sacudían nuestro pequeño reino y las amenazas que sobre él pesaban, aguardábamos como tortolicas al socio deseado, enseñábamos libremente el plumero o modulábamos con creciente aprensión nuestros gorgoritos

luego, cuando se divulgó el ojeo y nos agachábamos con prudencia en los nidos, habían recurrido a la captura con señuelo, el chisme astutamente propalado por algún infiltrado, y repetido después por pájaros bobos y periquitos, de que iban a regularizar nuestra situación y otorgarnos la salida, el cebo de una nueva escuela de baile para personas de sensibilidad artística o aficionadas a patinar sobre hielo, incluso el extravagante rumor de una visita de la gran duquesa Anastasia, apresadas a centenares en el lugar en el que habíamos sido convocadas, felices e ilusionadas con sus viciosas mentiras

(los jardines y alamedas antiguamente arrullados por vuelos y gorjeos ofrecían un cuadro desolado de quietud y silencio, nadie se movía ya en las ramas ni elevaba la voz, la ciudad entera parecía un escenario de cartón como el maldito balneario en donde estábamos encerradas)

nos habían concentrado en el estadio polideportivo, como en los viejos filmes sobre el Vel d'Hiv que tanto nos hicieron llorar años antes, para pasarnos lista, ficharnos, agruparnos en unidades productivas, embarcarnos en camiones como ganado, atravesar llanuras polvorientas e interminables, sabanas, tundras, taigas de asoladora reiteración pleonástica, hacinadas, sedientas e histéricas, mordaces y agresivas como un nido de alacranes, los altavoces difundían consignas movilizadoras contra las viejas lacras sociales, los centinelas se mostraban implacables con nosotras, estábamos condenadas a desaparecer como pájaros de una especie extinguida, ceder paso a la dinámica juvenil que encarnaban, tres días y noches de frío y calor sin poder descansar por el vocerío de sus eternos discursos de propaganda hasta ser apriscadas al llegar a nuestro punto de destino en malolientes barracones entre órdenes, gritos, silbidos, perros, vigías, alambradas, un cuadro de abrumadora depresión del que nos evadíamos como podíamos cuando la marquesa y sus notables nos visitaban habíamos inventado una coreografía de *El lago de los cisnes* cuyos compases, movimientos y cuadros escénicos nos sabíamos de memoria por haberlos ensayado entre nosotras antes de la redada, algunas la mimábamos casi a la perfección, miradme, escuchad, así, exactamente así, imitando a la prima ballerina en sus brincos alígeros y ademanes esbeltos, aquella grácil exquisitez en medio del yermo nos reconfortaba, nos sentíamos levitar con el leotardo y faldillas, alcanzar la sinuosa elegancia del cisne, revivir la evanescente agonía que en el teatro nos arrancaba las lágrimas, para disimular seguíamos con nuestros odiosos e inútiles instrumentos de trabajo, una con su pico, otra con su azadón, una tercera con su pala, la llegada anunciada o impromptu de la marquesa nos galvanizaba, la agitación y correcorre de las centinelas, las órdenes apresuradas de limpieza y adorno del real en el que celebraban sus asambleas y actos conmemorativos indicaban que la comitiva había salido del castillo y se aproximaba a nuestra granja, vamos, rápido, perdiendo el culo se desgañitaba la oficiala, pintadme de nuevo los escudos, consignas y emblemas, el busto y peana del Libertador, todo debe brillar limpio como una patena, habéis oído, a las que pajareen o no le den al callo las voy a poner a pan y agua en las jaulas, sólo el trabajo puede regeneraros y devolveros la dignidad, hijas de puta, mientras nosotras fingíamos obedecer y rivalizábamos en la ejecución de la pantomima, ese coro de labradoras o tractoristas de imperturbable sonrisa, heroínas de una ideología en láminas de color representadas en las páginas de nuestras revistas en medio de un mar de trigos ondeantes con todos los pormenores tiernos y edificantes elaborados con mimo por el artista, aguardando el momento en el que las guardias destacadas para avizorar en la loma darían el aviso y presentarían las armas, desencadenarían el vendaval de injurias, toques de corneta, órdenes escuetamente ladradas y veríamos apuntar en el horizonte los landós y carrozas del séquito, el tílburi negro de la marquesa con su lacayo vestido de mariscala, una aparición, os lo juro, cuya aureola de exotismo nos arrebataba al escenario ideal de los cisnes, a la sutil ingravidez de la danza, como loros adiestrados en los ritos de su doctrina, iniciábamos el veloz simulacro estajanovista con semblantes joviales, llenos de seguridad y optimismo en nuestro asalto impetuoso a las metas, la conquista y explotación de aquellas tierras remotas y exuberantes, la marquesa nos contemplaba con sus gemelos de campaña y nosotras bailábamos para ella un pas de deux, nos dejábamos arrastrar por la música, sutilizábamos la agilidad y nitidez de los movimientos, nada nos importaba ya que en el fervor de la empresa hubiéramos dejado caer nuestros supuestos útiles de trabajo, la agonía del cisne nos enaltecía y actuábamos

sin coartada, sólo aspirábamos a alcanzar la levedad concisa de su aleteo, el equilibrio etéreo de
las puntillas, esa inefable expresión de languidez
en el instante cruel de su ocaso, las botas y uniformes se habían transmutado en tutús y gasas
de bailarina, nuestras siluetas se perfilaban con
delicadeza exquisita y el público aguardaba la
caída del telón para prorrumpir frenéticamente
en aplausos

viejas, exhaustas, sudorosas, tratábamos de girar
como peonzas beodas, saltábamos con la zafiedad
y vuelo corto de las gallináceas, la música en la
que soñábamos no existía sino en nuestras cabe-
zas, las trenzadas nijinskianas eran torpes esbozos
y nos manteníamos apenas de puntillas en equilibrio precario, avestruces más bien, culonas y
desplumadas, algo pavoroso, os lo juro, las ofi-
cialas callaban y escurrían el bulto, pero a la marquesa no le gustaba, era evidente que todo aquello no le gustaba ni poco ni mucho, y ella, de
ordinario tan parolera y fatua, permanecía en el
pescante del tílburi, inescrutable, distante, es-
quinada, examinándonos sin benignidad ni terneza, envuelta en el humo de su cigarro

eso se llama, digo yo, pasar de guatemala a gua-
tepeor, del dominio de una marquesa propietaria de vidas y haciendas a manos de aquella
que no anuncia jamás la visita, el maldito adefesio de las dos sílabas que nos tiene aquí con-
finadas
se había levantado de la mesa después de encen-
der un cigarrillo filipino en su larga boquilla de
ámbar y fingía acodarse en la balaustrada, en-
simismada en la contemplación del paisaje, la
brisa sigue sin levantarse, como se prolongue esa
calma chicha deberán aplazar las regatas, un comentario que provocaba la plática habitual sobre
el tiempo, el atardecer agobiador y sin trazas de
terminarse, la demora inexplicable del mozo en
reponer los refrescos, la inmovilidad sospechosa
de las hortensias plantadas en los macetones, ni
siquiera se toman la molestia de regarlas, con la
calor que hace acabarán marchitándose
nadie hablaba ya de tocar el timbre ni protestar
a la dirección del balneario, las esperanzas de ver
asomarse al personal de servicio se habían des-
vanecido, los clientes parecían escasos para la

temporada y no se divisaba movimiento alguno a través de las ventanas y puertas que comunicaban el comedor y salones con la terraza

habían huido precipitadamente del lugar al descubrir la magnitud del desastre?

más allá del espacio configurado por los telones y bambalinas, los altavoces proseguían infatigablemente su exposición de normas higiénicas y medidas preventivas, ponían en guardia contra el pánico, anunciaban proyectos de evacuación general en caso de peligro, un litro de leche contiene 720 becquereles había dicho una, lo más importante de todo es cepillarse pero, pasada la primera fase de confusión y alarma, cuando algunas se habían quejado de náuseas y dolor de cabeza, no presentábamos señales de eritema ni síntomas clínicos, nuestro reducto artificial había sido misteriosamente indultado

si al menos pudiéramos oír una radio extranjera, acá todo está sometido a censura, te irradian un buen día con doscientos mil milirads y tú no te enteras como quien dice hasta que estiras la pata! pero, cómo conseguir un receptor sin franquear los límites de la terraza, ese espacio hermético y asfixiante en el que nos sentíamos sin embargo ingenuamente seguras?

luego, la del rincón, vestida como una lámpara de flecos con borlas y cordoncillos, empezaba a gritar, presa de sus habituales crisis de histeria, vamos, contad, abrid el pico, algo que os haya sucedido o hayáis visto, una agonía, una muerte, el fin horrible de la Seminarista!

y todas rompían a hablar de golpe con ademanes, contoneos y muecas, la Seminarista capsulada en su celdilla hermética, separada de las demás enfermas, cociéndose en la hediondez de su propia baba, visión de esperpento, demacrada, bubosa, toda uñas y pelo, arañaba furiosamente las paredes de su burbuja, quería salir y apestar el aire que respirábamos, los doctores habían puesto una cruz en sus organigramas y ya ni la atendían, sólo una enfermera con escafandra le servía la comida por un agujero

cuenta, cuenta!

la vimos descomponerse poco a poco como una papilla fungosa, al final la alimentaban con sondas y tenía el cuerpo, lo que le quedaba de cuerpo, conectado con docenas de tubitos de plástico, la muy maldita se aferraba a la vida como una lapa y nosotras le pedíamos a la enfermera que la prolongara para disfrutar del espectáculo, nos acercábamos a verla con nuestras mascarillas medio muertas de risa, cada vez más viscosa y deshidratada

sufría?

sí, claro que sí, se retorcía de dolor, los calmantes y drogas no servían de nada

gritaba?

las paredes de vidrio no dejaban pasar ningún sonido, únicamente la visión de sus contracciones y espasmos

y la del cigarrillo filipino se adelantaba al proscenio y representaba la escena para el público, construía la burbuja que aislaba a la Seminarista con ademanes precisos y gráficos, nítida, oval, transparente, círculo inviolable de yeso trazado con la sabiduría de un mago, cada movimiento de sus manos confirmaba la estrictez nodular de la separación, la diáfana esfericidad de la prisión en donde la venenosa criatura boqueaba, el rito hechiceresco alborozaba a las espectadoras, a voces la animaban a proseguir la ronda, la viperina recibía el castigo que merecía, la cotidiana figuración de su agonía les hacía olvidar las desgracias, anda, sigue, la jaleaban, multiplica sus bubas, hincha su faz de medusa, redúcela a una masa de gelatina, queremos ver cómo estalla!
hasta que el cansancio de la mímica, repetida a lo largo de los días, nos dejaba vacías y exhaustas, sentadas de nuevo como un grupo de nobles damas en torno a la mesa con la bandeja de refrescos, absortas en la contemplación de aquel perenne atardecer cuya ficción coloreaba con burlona rubicundez el decorado yermo de la terraza

acomodadas con cierta premiosidad como en espera del artista que las inmortalizara en un retrato, habían mudado entre tanto su aderezo y
atuendo, se exhibían ahora con mayor solemnidad y boato, sombreros tutelares umbeliformes o
acampanados, penachos con plumas de avestruz,
monóculos crispados sobre un ojo insolente y
azul, anteojos plegables de nacarada empuñadura, flabelos inmensos que cerraban y extendían
para abanicarse con destreza ostentosa y rauda
esquivez de ofendidos pavos reales
el decorado del lugar había cambiado también,
pequeñas modificaciones a primera vista anodi-
nas pero cuya novedad introducía una nota de alivio en aquel clima de ansiedad cargado de ten-
siones reprimidas, alguien había retirado por
ejemplo la bandeja con los vasos vacíos lo que
permitía suponer la llegada posterior del mozo
con una nueva provisión de refrescos, las hortensias pintadas en los macetones simulados ofrecían
un aspecto menos mustio sustituidas por arbus-
tos de hojas verdes y pétalos rosa cuidadosamente reproducidos en plástico, incluso la esfera solar

pincelada sobre el fondo marítimo del telón en cuyo primer plano figuraba la balaustrada parecía menos encendida y risueña que de ordinario y daba la impresión de haber retrocedido en la órbita del descenso como si alguien hubiese girado al revés las agujas del tiempo

qué maravilla, formuló una, los días corren hacia atrás, rejuvenecemos en lugar de envejecer y nos quitamos una pila de años, la hipótesis nos había exaltado, estábamos allí en hibernación, sustraídas al giro de las estaciones y su bulimia de vidas humanas, larvales, insomnes, embelesadas, bañadas en una difusa y perpetua luz veraniega similar a la de las planicies árticas, nuestro refugio era en verdad un privilegio, huyendo de la plaga eludíamos también el rigor inexorable del tiempo, vivíamos una promisoria condición de crisálidas, aisladas en aquel balneario remoto y de ubicación ardua nos renovábamos sin intervenciones quirúrgicas ni curas hormonales rumanas, nuestro mundo surgiría como el fénix de las cenizas y nos restituiría el sabor de la vida, de nuevo, escuchadme, los ritos lustrales y la gloria corporal de la alhama, templo restaurado del amor, tabernáculo de llameante viril, Sauna de las Saunas, gran ceremonia de recuerdo y expiación, purificación del lugar con sahumerios y ensalmos, exorcismos cantados con voz de tiple y tenor, desfile de galanes y novicias con cirios alumbrados, vamos, pronto, todas a formar, perfeccionad los ademanes de piedad, acendrad al límite de lo sublime las poses seráficas, hay que transmitir urbi et orbi la alteza serenísima de nuestro mensaje, dóciles a las órdenes de la Archimandrita de la boquilla de ámbar revestida con toda la pompa que exigían las circunstancias, capa pluvial, mitra, anillo, báculo, solemne, hierática, asistida por diáconos y monaguillos con túnicas albas, plegarias, ofrendas y votos a la Virgen, nínfula exangüe y doliente paseada en andas, ritmo de tambores, nubes de incienso, morados resurrectos, lluvia de rosas, avance lento, marcha cadenciosa, convergencia gradual de las cofradías de arrepentidas al salón imperial de la Doña, banquetas rojas, murales de tema oriental, farolas de anacrónica suntuosidad, espejos en donde veíamos reflejados la ilusión y el sosiego de futuras y pasadas coyundas con nuestros galanes, receptáculo ahora de las oraciones de atrición y dolor entonadas en falsete por la Archimandrita y repetidas por el séquito con ademanes y muecas de compunción, Madre mía amantísima, en todos los instantes de la vida, acordaos de mí, miserable pecador, terminación masculina cuya incongruencia no advertíamos siquiera, transfiguradas por la luz cenital de la gran vidriera que antaño cobijaba nuestros galanteos, congregadas en el salón como en los buenos tiempos, guardando un minuto de conmovido silencio ante la barra del minibar sobre el que la dueña cayó fulminada, memoria cruel, evocación lancinante que nos arrancaba las lágrimas y sumía otra vez en la pesadilla del adefesio, la aparición de la desgarbada del sombrero en las escaleras con su siembra feroz de cizaña

había sido vencida entre tanto por la ciencia, exorcizada por la religión, arrojada a los dominios de Plutón en justa retribución de sus horribles hazañas?

la situación era irreal pero nos sentíamos confortadas, el fasto de la procesión, los rezos e invocaciones de la Archimandrita ufana de su sabiduría latina, el eco de las antífonas y deogratias devolvían a aquellas estancias durante largo tiempo clausuradas su aura lozana y festiva, las vestidas de diácono y monaguillo habían purgado las taquillas del guardarropa y el aposento oscuro con sus botafumeiros, abierto la puerta de las duchas contiguas a la piscina y los calidarios, y un hálito sutil de escenas amatorias y proezas acuáticas acariciaba las voces paulatinamente lánguidas de las arrepentidas, desvirtuaba la sinceridad de sus suspiros y golpes de pecho, hacía modular con insidia las eses del Madre mía amantíssima, transmutaba a la Archimandrita en una esplendente diva de ópera, maquillada, opulenta, rumbosa, capa pluvial con orillos de pluma, mitra con penachos de coracero, báculo convertido en cetro, anillo pastoral tendido al

ósculo cándido de las novicias o a la lengua insi-
nuante y procaz de las senadoras togadas, camino ya, con sus pajes, escuderos, bufones y damas
de la escalera helicoidal recorrida antaño por las
asiduas libadoras de polen ansiosas de cumplir
sus devociones en los modestos reclinatorios de
las ergástulas, fondona y cachonda, recogiéndose
los bajos de la capa para mostrar el desgaire, con
artera coquetería, los zapatos de tacón y medias
de redecilla moradas, adaptadas, como el liguero y las bragas, al carácter penitencial de la ceremonia que presidía, conjuro de la plaga y home-
naje a sus víctimas, alejamiento de los malos
espíritus con nubes de incienso, restitución jubi-
losa de aquellos aposentos a su primitivo destino,
inauguración imperial evocada por la Doña entre
suspiros en aquellos meses negros, cargados de
rumores y presentimientos, que precedieron la
llegada del adefesio, un templo nupcial para nosotras y los esforzados galanes que nos agasajan,
recuperado intacto, en medio de fervorosos te-
déum, por quienes después de tantas tribulacio-
nes y pruebas habíamos sido salvadas
desde el lugar en el que me hallaba, si es que
estaba en algún punto preciso de la escalera y no
flotaba errátil como un vilano según me parece
en retrospección, lo que más atraía mi atención
era la exuberancia posterior de la Archimandrita, el
trasero de nalgas inmensas descubierto a cada
paso por el vuelo audaz de la capa, sus pantorri-

llas vellosas y mofletudas, los muslos protuberantes bajo las flores del liguero y encaje de redecilla morada, meninas y pajes la ayudaban a esca-
lar y abanicaban su popa glotona con infantil
picardía, vamos, niñas, cantad, resollaba, vuestras voces angélicas deben vibrar en este tabernáculo de la dicha, las novicias primero y luego
las veteranas, todas el Pange lingua, enardecida,
incendiaria, ansiosa de llegar al piso superior y
cerciorarse de que galanes armados velaban a la
puerta de las celdillas, investida de la crapulosa
majestad de su atuendo, contoneando el cuerpo,
echando besos a los conyugables, un cigarrillo
filipino en el pico de la ahilada boquilla de ámbar, los lustra sex y membra paris del himno
entremezclados con guiños salaces, raudos movimientos circulares de lengua, bendiciones de
báculo rematado en falo grotesco, exultante y
marchosa en sus andares de rumbera vieja mientras pasos, pisadas, botas resonaban más y más
fuerte en la escalera, subían, se acercaban, sem-
braban el terror, provocaban la desbandada, puertas y ventanas de cartón piedra parecían sacudi-
das por un huracán, los altavoces atronaban en
una lengua desconocida, el decorado de la balaustrada con su puesta de sol y macetones de
hortensias era izado bruscamente desde los telares del teatro y descubríamos que estábamos
cercadas por una multitud de enfermeras con
mascarillas

son kirghisas!, había gritado horrorizada la Archimandrita

explosión, accidente o fuga radiactiva, lo cierto era que dosis mortales de celsio, yodo, rutenio y estroncio contaminaban el aire que respirábamos, había que seguir atentamente las instrucciones, tomar las pastillas que nos ofrecían, disponerse a viajar, evacuar aquel refugio falaz, correr al punto en donde nos aguardaban los camiones antes de que la nube cubriera la zona y fuéramos despiadadamente barridas

hierba, florecillas, abejas, dulce solicitud veraniega, benignidad solar, brisa ligera, suave
trabazón de colinas, campiña fértil, rumor de esquilas, eco de hachazos, sincopadas voces, ladridos tenues, sereno verdor de alamedas y frondas ribereñas

ocupan una docena de sillones de mimbre de
ostentoso respaldo, reyes y reinas en sus tronos
con emblemas heráldicos, pero no logras establecer con claridad si estás con ellos o les ves
desde fuera de la escena, emboscado en otro lugar del prado

tampoco reconoces del todo su figura ni alcan-
zas a identificarles, varían a menudo de posición y aspecto, la rubia acicalada de la izquierda descansa de súbito en uno de los asientos del
centro y su sombrero fungiforme cubre no obstante la cabeza del caballero con gafas recién
acomodado en su butaca

como en uno de esos decorados de cartón de las
ferias con huecos por donde los clientes deseo-
sos de retratarse vestidos de toreros, manolas,
futbolistas o astronautas de la NASA asoman

jubilosamente sus testas, satisfechos de la exótica personalidad que les concede la indumentaria, descubres que mientras su atuendo es fijo los rostros cambian

pese a la frecuencia desorientadora de sus movimientos, el viejo aire familiar de sus fisonomías empieza a intrigarte, la faz seca y angular de la dama con su boa y sombrero no será quizá la de doña Urraca, viuda de protomártir y madrina de guerra?, el hombre de pelo cortado casi al rape y pinta simiesca, no te recuerda acaso, no obstante las polainas y chaqueta ajustada, al flamígero don Blas de tu infancia, con su vistosa capa de capellán y detente, bala?

la nueva vestimenta civil, de puntillosa elegancia, se superpone, sin borrarla del todo, a la imagen anterior, ya lejana, de su plática en el jardín de los tíos, sentados igualmente en sillones de mimbre, en el cenador, a la sombra de las acacias

la guerra ha terminado y gobiernan los vuestros!

el doctor, las enfermeras, don Blas, doña Urraca desempolvan tal vez recuerdos marchitos, episodios rancios y enmohecidos, hazañas vetustas y erosionadas sin percatarse de tu presencia en los parajes, irreconocible sin duda después de tanto tiempo

con prismáticos contemplas también el remanso en el que media docena de jayanes de cuerpo oleoso y rudo calzón de cuero se entregan a sus viriles juegos, prolongan el dulce y sarmentoso

abrazo, se arrebatan al aire y escurren con fle-
xibilidad ofidiana, comban los músculos con fuerza envolvente, parecen copular y mutuamente
devorarse

la belleza del cuadro te anega de dicha y quieres
aproximarte a los contendientes, aspirar el aroma feroz de su aceite, absorberte en la sinuosa
trabazón de las presas, admirar su textura corporal, obtener la gracia de su sonrisa

los personajes sentados en semicírculo intentan
disuadirte con gestos indicativos de peligro
pero caminarás sin hacerles caso a la gloria de tu
palenque o tálamo bañado en la impregnadora
luminosidad del día

el ave sutil e incolora, perfilada con inocente esbeltez en el cielo, parece volar sin dejar de estar
inmóvil, suspendida con graciosa ingravidez
sobre el himeneo en donde aguardan sonrientes
los luchadores

II

todo aquello, dijo, correspondía aproximadamente a mis reacciones sicosomáticas durante las distintas fases del tratamiento, la cura de sueño prescrita por el excelente equipo de médicos, había venido a visitarme a diario desde la residencia en la que nos hospedábamos y, a través de los movimientos reflejos del cuerpo y expresión del rostro artificialmente dormido, adivinó las pesadillas, cuitas, anacronías, cambio abrupto de temas y personajes, ubicación ambigua de los paisajes, mutación de voces, vaguedad y fragmentación de tramas oníricas, la insinuación paulatina de la aniquilación como leitmotiv obsesivo, crescendo insidioso llegado hasta el clímax, ademán de horror, vértigo de la sima, grito ahogado en el fondo de la garganta seguido luego de una larga pausa, levitación hipnógena a una escena analgésica y venturosa, armonía, quietud, remanso, serenidad de la faz, pasada la crisis, en la difusa beatitud del ilapso
había sido todo efecto de los fármacos, de la sutil combinación de drogas que, según dijo, me habían recetado a fin de paliar las posibles

secuelas del accidente, la incomprensible y aparatosa caída de la escalera unos días (u horas?) después de nuestra llegada a aquella mansión de reposo con aires de balneario?

sí, claro, dijo, el batacazo fue tremendo, por fortuna había perdido inmediatamente el conocimiento y permanecía, permanecería sumido en un coma profundo, evitándome el susto, ansiedad y sufrimiento de quienes presenciaron el hecho y asistieron a mi traslado al quirófano del sanatorio vecino, aguardaron en vilo los resultados de la radiografía craneana y la consulta con el director del equipo de traumatología, una espera angustiosa de horas mientras tú seguías tranquilo en tu limbo, no se preocupe usted, le dijeron, aunque por poco pasa a mejor vida se salvó de milagro y seguirá con nosotros, pobrecitos mortales, a menos que Dios, en su bondad infinita, no ponga remedio, así mismito, en estos términos, riendo para quitarle el miedo e infundirle ánimos, teniendo en cuenta la gravedad del golpe el letargo es normal y vigilaremos su evolución hasta que se recupere, el proceso será lento, de modo que no se inquiete, dentro de unos días podrá volver a la residencia y continuar con usted sus magníficas vacaciones de verano, como habrá podido verificar la clínica está cerca, aquí disponemos de todo lo necesario como en el tiempo de nuestra borrosa y ya remota llegada salíamos a pasear a media mañana, me llevaba ahora cogido del brazo en previsión de un nuevo y malhadado tropiezo o el vértigo que a veces me acometía residuo probable de la caída o el uso prolongado de fármacos, bajábamos de la habitación directamente en ascensor eludiendo el entarimado resbaladizo de la escalera, cruzábamos el solitario vestíbulo y devolvíamos una sonrisa comprensiva a las empleadas o camareras, el día era espléndido e invitaba a caminar con prudencia por entre los macizos de flores y arriates, poco a poco recuperaba el recuerdo de la mansión en la que nos alojábamos, del edificio principal frioleramente arrebujado en hiedra y el pabellón más moderno y desangelado con el comedor y los salones de recreo, gimnasia y masaje

(allí en donde, con gran sorpresa mía, una de las matronas vestidas de enfermera me había invitado a subir a una vieja balanza de botica, registró cuidadosamente mi peso en un cuaderno y me propuso un eficaz masaje terapéutico, oferta que rehusé de modo cortés pero con energía me encuentro en plena forma, dije, acompañando la frase de ademanes esclarecedores a fin de que me comprendiera

sus manos eran grandes y bastas, de una conminatoria brutalidad)

los demás huéspedes habían salido temprano en autobús camino de alguna playa acotada, abandonando el parque y sus veredas sombreadas a los amantes de la meditación o reconditez arisca, usufructuarios de una paz precaria amenazada siempre por el regreso inopinado de los bañistas, parejas, familias, prole ruidosa, pequeña multitud lanzada al asalto de las gandulas y colchonetas de lona ansiosa de alargar hasta la campanilla anunciadora de la comida su desgarbada exposición al sol con gafas oscuras, sombreros de saldo y la inevitable funda de plástico sobre el caballete ya despellejado de la nariz, mira, parecen marcianos, dijo el primer día, su zafiedad y falta de gracia física nos habían turbado y no sabíamos si achacarlas al régimen alimenticio o a la sedentariedad forzada de la profesión, aquella impúdica exhibición de fealdad y negligencia nos desconcertaba, para qué lenines servían las revistas hogareñas que leían, dijo, acaso no prodigaban consejos, como en el resto del mundo, para mantener la línea y adelgazar?, resultaba imposible responder a estas preguntas y nos limitábamos a cambiar miradas cómplices y gestos de desaliento con los

escasos peripatéticos, abrumados, como nosotros,
con la barahúnda cotidiana de su irrupción
vínculos sutiles de connivencia más allá de las
barreras lingüísticas, convenciones educativas e
índole ambigua de nuestro status (éramos invitados oficiales, sustentábamos alguna dignidad o
cargo?), sonrisa apenas perceptible o leve arqueo
de cejas cuando los playeros se precipitaban a las
mesas del comedor contiguas a las ventanas o los
asientos vacíos del autocar que después de la sies-
ta les conducía de nuevo a las playas, una imprecisa sensación de afinidad espiritual que, al dis-
tinguirnos de los demás, nos excluía naturalmente
de la esfera de sus ocupaciones e intereses, nos con-
fería de rebote un aura señera de dignidad

      un señor mayor de porte distinguido y
      sombrero de paja, que se destocaba cere-
      moniosamente al saludarnos
      un joven profesor de árabe
      el prior de un monasterio griego absorto
      en la lectura del Cántico
      un seminarista de aspecto piadoso, acom-
      pañante o fámulo del Archimandrita
      un kirghís de edad indefinible vestido
      con un pijama listado
      una dama angulosa de atuendo elegante y
      un cigarrillo filipino encendido en el ex-
      tremo de su larga boquilla de ámbar
en nuestro primer paseo por la arboleda después
de mi absurda caída, habíamos topado con el

prior, la dama y el seminarista y, de manera discreta, los tres manifestaron su alegría de verme
de nuevo, de saberme restablecido del trauma y
cura de sueño, fíjate cómo sonríen, dijo, mientras
estuviste en coma se mostraban inquietos, me
interrogaban con la mirada en silencio, alguien
les había referido las circunstancias del suceso y,
aunque con cautela, procuraban reconfortarme,
me expresaban su simpatía y solidaridad
luego, en el comedor, divisamos al kirghís y al
profesor de árabe perdidos en el bullicio pueril de
los comensales, les devolvimos el saludo de lejos
pero el señor mayor del sombrero de paja no estaba en el rincón habitual que ocupaba, se esfumó el
mismo día de tu accidente, dijo, y no se le ha
vuelto a ver el pelo, su eclipse me parecía insólito
y, mientras nos servían la insulsa minuta de siempre (la tristeza correosa del pollo inducía a pensar
que el pobre animal había acelerado su previsible
final mediante un frío y bien meditado suicidio)
resolví, dije, investigar su desaparición
cómo, ante quién, con qué medios?
convocaré al intérprete!
imposible, dijo, se había tomado unos días de
vacaciones y el sustituto era un hombre obtuso
y de pocas palabras, cuya consigna parecía ser el
secreto, la negativa obstinada de cualquier tipo
de información
todo eso es absurdo, no puede haberle ocurrido
algo?

olvídalo, dijo, en la situación en que nos encontramos, lo mejor es no menearlo y callar la boca como los demás

en la capital habían subrayado sus ventajas respecto al hotel, allí estará usted como quien dice entre colegas, podrá discutir con ellos e intercambiar provechosamente informaciones e ideas, las comodidades quizá no sean las mismas pero el servicio es esmerado, dispondrá de medios de transporte para ir a las playas y un equipo de médicos y enfermeras se mantendrá a su disposición si teme haber contraído la enfermedad o necesita desintoxicarse, una concepción nueva, más saludable y racional, de las vacaciones veraniegas, en la residencia de descanso trabará en seguida amistades y se compenetrará con nuestra gente, todos formamos como una gran familia palabras risueñas que, acodados en la balaustrada de la terraza ornada con macetones de hortensias, contraponíamos a la realidad del panorama que contemplábamos, la horda de pensionistas tumbados en las gandulas y colchonetas, panza al sol, embadurnados de crema, obscenamente despatarrados con sus trajes de baño y sombreros, gafas oscuras y narices de plástico, si son profesores no lo parecen, comentó por enésima vez, yo creo que no han leído un libro en su vida y, como corroborando su opinión, el individuo vestido con chándal y pantalón de gimnasia inició sus pavorosos ejercicios flexibilizadores, durante mi cura se había sentado una vez a su lado en el autocar y advirtió que iba armado, llevaba un revólver en el bolso playero y, cuando lo abrió para devorar un sándwich de mortadela a todas luces rancio, no se tomó siquiera la molestia de ocultarlo

son todos colegas míos?, había preguntado al intérprete antes del accidente, mi curiosidad parecía haberle pillado de sorpresa y, algo perplejo, explicó que la residencia acogía también a personas venidas de horizontes muy diversos en la medida en que se mostraban deseosas de conocernos y compartir nuestra experiencia, aunque ellos disponen de casas de reposo iguales o mejores que ésta han preferido mudar aires y venirse aquí, como ve seguimos un método acomodaticio favorable a la movilidad e intercambio, mis compatriotas desean aprovechar el verano para extender sus relaciones a otras esferas, romper el aislamiento y monotonía de una especialización excesiva

si bien atardecía y el sol ya templado rozaba en su trayectoria descendente la copa de los árboles, los playeros, como irónicamente los bautizábamos, querían apurar con avidez el dudoso beneficio de sus rayos, algunos permanecían de pie, vueltos a él, con los brazos ligeramente abiertos y las palmas de las manos extendidas en una postura de entrega muda o adoración, el brillo graso de la crema heliofiltrante, gafas ahumadas y narices de plástico añadían a la escena un toque de centella irreal y vagamente fantástico, recuerda a una película de ciencia ficción, dijo, o a uno de esos cortos publicitarios en los que centenares de personas surgidas de las bocas del metro con lentes especulares de extravagante diseño caminan en silencio, con paso resuelto, hasta la entrada de un gran almacén y allí, con ademán enérgico, se desembarazan de sus mascarillas y manifiestan con inefable sonrisa su complacencia y felicidad ante el hallazgo, el Eureka de su paraíso encontrado, la comparación me encantó, el sol rubicundo, cercado de nubecillas rosadas, otorgaba a los actores obesos y de físico ingrato una burlona apariencia de sacerdotes o vestales del culto abrogado, senadoras ufanas de su reciente visita a la alhama, en acto solemne de acción de gracias por las mieles del don recibido, ardiente comunión en el tabernáculo del ungido, purificadas tras el baño lustral, fortalecidas con la virtud y ofrenda de sus galanes, marchosas y ágiles a pesar de su senectud y gordura, rejuvenecidas en fin por su retorno a los dominios del ama, la Doña en su altar votivo del mostrador, templo mirífico del amor, Sauna de las Saunas

la dama de la boquilla de ámbar encendía con deliberada parsimonia uno de sus larguísimos cigarrillos, también ella examinaba sin indulgencia a la tribu mientras ésta exprimía avariciosamente su astro hasta el último rayo, cambió una mirada de desdén con nosotros y apuntó a la franja de mar apenas visible tras el arracimado verdor de los pinos

el Helesponto, dijo, no fue acá adonde el emperador envió castigado a Ovidio?

su observación nos procuraba al fin una pista
ni en la capital en donde establecimos los planes
del viaje ni a nuestra llegada a la residencia de
verano nos habían indicado con precisión el
lugar de descanso, su clima era típicamente me-
ridional, bastante similar al de las playas que
siempre frecuentamos, las temperaturas agoste-
ñas oscilaban de veinte a treinta grados, la vegetación tampoco difería de la que conocíamos,
plátanos, pinos, cipreses mezclados con avanza-
dillas de especies más nórdicas, desde la balaustrada del edificio principal enfocábamos con los
prismáticos vistas rutinarias de la costa, veleros
blancos, vaporcitos destinados al tráfico, la silueta incongruente de un trasatlántico cuya proa
emergía diáfana entre los árboles, me gustaría
viajar, dijo, salir unas horas de excursión, modificar el rito de estas vacaciones interminables,
había un viejo mapa en color colgado en el vestíbulo junto al tresillo en el que los playeros se
concentraban después de la cena a absorber las
imágenes del televisor y nos enfrascamos en su
contemplación, mira, Rumelia, dijo, los princi-

pados del norte son Valaquia y Moldavia, el descubrimiento nos sedujo y volvimos a la terraza en un estado de dicha sonámbula, había que buscar en seguida al intérprete, pedirle que telefoneara a la agencia estatal de turismo, solicitara un permiso oficial y la reserva de un coche, yo me encargo de todo, dijo y, mientras te acomodas en tu meridiana entre los macetones de hortensias, devuelves el saludo cortés al prior del monasterio griego cuando atraviesa la terraza seguido del seminarista, la exégesis del reformador parece atormentarle y le verás enzarzarse de lejos en una controversia hermenéutica con el joven profesor de árabe

ha surgido un problema inesperado, dice el intérprete, acaban de interrumpir el tráfico en la autopista costera a causa de unas obras de ensanchamiento y, de momento, no podemos movernos

no habrá otra carretera interior que lleve a las montañas?

también está cortada

las embarcaciones de viajeros que

su servicio ha sido suspendido

ha ocurrido algún accidente o catástrofe?

tenemos la situación bien controlada, todo es perfectamente normal

nosotros pensábamos que tal vez

a qué nosotros se refiere usted?

yo?

sí, usted, su plural me deja suspenso, que yo sepa nadie le acompaña

él es yo? yo soy ella? y así por espacio de horas en vela, dando vueltas y vueltas confuso, abrazado angustiosamente a la almohada, sumido en el ígneo fulgor de la noche oscura, la antesala de la opacidad auroral, el suave umbral de la embriaguez extática

era posible descifrar las oscuridades del texto, hallar una clave explicativa unívoca, desentrañar su sentido oculto mediante el recurso a la alegoría, circunscribir sus ambigüedades lingüísticas, establecer una rigurosa crítica filológica, buscar una significación estrictamente literal, acudir a interpretaciones éticas y anagógicas, enderezar su sintaxis maleable, esclarecer los presuntos dislates, paliar su señera y abrupta radicalidad, estructurar, disponer, acotar, reducir, esforzarse en atrapar su inmensidad y liquidez, capturar la sutileza del viento con una red, inmovilizar sus inasibles fluctuaciones y cambios oníricos, reproducir el acendrado esplendor del incendio místico mediante la acumulación de glosas, lecturas, fichas, notas académicas y apostillas, observaciones plúmbeas, gravosas ordenaciones sintácticas, exégesis filtradoras, páginas y páginas de prosa redundante y amazacotada?

no sería mejor anegarse de una vez en la infinitud del poema, aceptar la impenetrabilidad de sus misterios y opacidades, liberar tu propio lenguaje de grillos racionales, abandonarlo al campo magnético de sus imantaciones secretas, favorecer la onda de su expansión, admitir pluralidad y simultaneidad de sentidos, depurar la incandescencia verbal, la llama y dulce cauterio de su amor vivo?

pasajes y pasajes de belleza enigmática, incoherencia reveladora de la ebriedad y consumación gozosa del alma, entronque esotérico con la cábala y experiencia sufí, audaz apropiación del Otro en el verso Amada en el Amado transformada!

basta mudar de postura, ladear la cabeza a derecha
o izquierda, modificar la entumecedora posición
de las piernas debida a la blandura excesiva del
lecho o aflojamiento de los muelles del somier en
el que desde tu nebuloso accidente descansas
(tan incómodo en su afable e indolente vetustez
como un reumatizante colchón de agua)
para percibir el olor inconfundible de sus cuerpos lubrificados, brazos sarmentosos, músculos
de suave y tersa dureza, presentir la acechante
vecindad de sus presas, ruda trabazón del abrazo,
sinuosa coyunda de enamorados y abandonarte a
la visión interior de sus espaldas recias, omóplatos lucientes y combados, textura suntuosa de
miembros enlazados, mutua devoración lenta,
dos jayanes ungidos hasta el borde de los robus-
tos calzones de cuero, óleo y sudor entremezclados, humo anhelando quien no exuda fuego,
enardecedora concreción de tu sueño, anhelo de
posesión compartida, lenitiva fricción del tórax
maltrecho con aceite vertido por los alcuceros,
difusa quietud transmutada en dicha, alquimia,
dilatación, calor, goce, luz, anonadamiento

los atardeceres se prolongaban, el sol había interrumpido en apariencia su ilusorio movimiento orbital y, desde hacía un trecho, parecía condecorar el borde superior de los pinos y abetos contiguos a la balaustrada, disco rubicundo de sospechosa ingravidez teñía el paisaje de destemplada tonalidad naranja, los retazos de mar, la arboleda, el jardín y, en primer término, el césped en el que los playeros saboreaban la exquisitez de la prórroga con manos pedigüeñas, ansiosas de atesorar su mentirosa dádiva, las gafas ahumadas con sus monturas de colores vivos y las cyranescas narices de plástico acentuaban el hieratismo y ritualidad de la escena, eran colegas zombis actores aborígenes de una isla remota e inexplorada?, la luz manifiestamente artificial del astro fijo les impregnaba gradualmente de una rojez excesiva y chillona, refulgía en los cristales y fundas de sus mascarillas protectoras, se entregaban, como habías creído al comienzo, a un culto pueril y exagerado a Febo o bien se protegían, conforme había susurrado a tu oído la dama de la boquilla de ámbar, de la irradiación a la que descuidadamente estabais expuestos, los isótopos y cuerpos volátiles que cubrían la zona y, al parecer, la contaminaban?

no dicen nada para no alarmar al turismo extranjero pero ellos conocen el secreto y toman medidas de protección que nosotros ignoramos su confidencia, aunque incierta, había aumentado tu recelo, qué hacían allí en efecto los playeros plantados durante horas frente a aquella luz violácea que no emanaba siquiera del sol de cartón sino de los focos astutamente disimulados por el decorador entre las arborescencias del bosque fingido?, habían sido prevenidos del peligro y, cobardemente, os mantenían en la ignorancia?

los enfocaste con los prismáticos y recorriste uno a uno, con creciente aprensión, sus rostros espesos, impenetrables y refractarios, sus gafas especulares de diseño mudable y estrafalario, las narices de plástico de obsceno y desmesurado grosor

(por qué figuraba don Blas entre ellos, disfrazado también con su ridículo atuendo?)

las damas reunidas en la terraza lucían sus atavíos y sombreros de pluma, se quejaban del aburrimiento y calor, desplegaban sus abanicos de modo seco y veloz, proponían historias y juegos de salón contra la rutina envolvente de la jornada

te miraban

maquillada como una máscara, cejas y pestañas estilizadas, rímel, colorete, polvos de arroz, labios en forma de corazón agresivamente escarlatas la más llamativa del corro se había escurrido junto a ti y te cogía familiarmente del brazo soy la embajadora de su país, dijo, venga conmigo y daremos una vuelta, quiero mostrarle a solas, con detenimiento, los secretos y reconditeces del parque

cruzáis del brazo el umbral de la legación, la verjilla custodiada por chóferes y criados, el sendero de grava contiguo a la villa otomana del embajador, la explanada de automóviles de modelo anticuado para mezclaros con la vistosa colección de invitados reunida en el césped, es compatriota nuestro, dice ella, aunque en lejanas tierras vibra, sufre y anhela, comparte nuestros principios e ideas, cree en la perennidad de nuestras esencias y las virtudes del Movimiento regenerador, los demás huéspedes se inclinan a estrecharte la mano e intercambias cortesías con ellos, muchos visten de frac o chaqué pero abundan también las guerreras, botas, sotanas, camisas y boinas azules y granas, pechos augustamente enmedallados, atavíos cesáreos de gondolero o tenor, vamos, pronto, a formar, ordena el capellán batiendo palmas, centurias del frente de juventudes, margaritas, luceros, flechas, pelayos, todos en hilera, la mano derecha en el hombro delantero del compañero o compañera, guardando distancias, firmes, bien firmes, saludando a la imagen bendita de la Virgen, a la para siempre bienaventurada Madre de Dios la procesión baja mayestáticamente la escalinata aglutinada alrededor de la estatuilla ingrávida, don Blas con sus andares de mílite y de prelado rodeado de acólitos y muchachas y muchachos uniformados, doña Urraca y sus colegas propagandistas, actores y comparsas de rostros arrinconados desde la infancia, recordad que estamos en país de misión y debemos evangelizar con el ejemplo, mostrad a los infieles la vía esclarecedora de unas creencias por las que millares y millares de jóvenes puros y ardientes ofrendaron generosamente sus vidas en el fragor de la lid (no sabes cómo vistes ni lo sabrás jamás llevas las mismas prendas domésticas que usabas en la casa de descanso o has tenido tiempo de cambiarlas por otras?)

el embajador, embajadora, agregados civiles y militares, jerarcas del partido, representantes de las fuerzas vivas en estas remotas orillas encabezan la teoría inmediatamente después del flamígero capellán revestido de toda la pompa que exige la circunstancia, capa pluvial, anillo, báculo, solemne y hierático, asistido por diáconos y monaguillos con túnicas albas, plegarias, ofrendas y votos a la Virgen, nínfula exangüe y doliente paseada en andas por el vasto jardín de la legación sombreado por su arboleda frondosa, camino de la gruta artificial en donde será entronizada la estatuilla el tiempo que dure la ceremonia, exaltación de la Virgen Patrona en esa fecha simbólica conmemorada por los creyentes del mundo entero ahora que nuestra patria ha recobrado brío y grandeza, vencido a sus enemigos seculares de dentro y de fuera, barrido a escobazos su ilustre solar, extirpado las semillas de desunión e impiedad sembradas por doctrinas funestas, la voz bronca y aguerrida de don Blas con su boina y polainas de antaño, sentado en la mecedora del salón, objeto de mudo y respetuoso fervor, probablemente después del rezo del rosario y jaculatorias especiales para los muertos de la familia

(quién ha dejado al niño asomarse al balcón?, no os he dicho mil veces que no quiero que mire?)

preces coreadas por gargantas infantiles y adultas en la pendiente escalonada del jardín, dignatarios, diáconos, monaguillos, jóvenes con uniformes y emblemas, doña Urraca ceñida de su aureola de inflexible viuda de guerra (el niño a quien habían socorrido con unas monedas y un cuenco de gachas, no era acaso huérfano e hijo de alguno de los de la otra acera?), damas escapadas del balneario vecino, el Archimandrita y su fámulo, el joven y apuesto profesor de árabe, todos entonando con gravedad las loas en honor de la nínfula, vamos, más fuerte, vuestras voces deben transmitir la grandeza y serenidad del mensaje a la masa desvertebrada de cafires y ateos, a quienes se empecinan en negar la evidencia sagrada de nuestra Causa, mientras la procesión serpen-

tea por la arboleda, se aproxima a la gruta musgosa y las astas desnudas en las que van a izar las
banderas, quién dijo que había dejado de ser
católica?, ominosa memoria de aseveración pe-
cadora que don Blas rebate con energía, con-
gregados ya todos en el claro del bosque alrededor de la nínfula, una centuria juvenil con sus
cornetas y tambores, el oficiante, embajadores,
dignatarios, prebostes, autoridades, jerarquías,
como cuarenta y pico años atrás en la marea encrespada de la plaza, bajo el balcón de los tíos,
brazos en alto, discursos, himnos, sesiones públi-
cas de purificación y exorcismo, lividez y olor
acre de incendio, manuscritos corruptos arrojados al fuego, ideas nocivas, utopías perversas,
promesas de embaucadora apariencia destinadas
a atrapar a las almas incautas y arrastrarlas para
siempre al abismo, páginas y más páginas de
letra menuda condenadas por el celo salvador del
capellán y de doña Urraca, ennegrecidas y entorchadas en unos segundos por la acción provi-
dencial de las llamas
(quién había sido su autor?
habría asistido el poeta desde su celda a alguna
quema o expurgación parecidas?)
rezos, murmullos, ceremonia de consagración
del país a su santa Patrona, despliegue viril de
banderas al viento, oraciones y discursos de elocuencia arrebatadora hasta la conclusión del acto
y encauzamiento de la florida asistencia al bufe-

te servido por los criados, comentarios socorridos sobre la belleza y emoción de la homilía del prelado entreverados con críticas venenosas al seminarista del prior griego por sus falsetes de doncella y uso chocante de ligas rosas

habían permanecido inmóviles todo el tiempo, vueltos al sol simulado por el decorador en el telón de cartón suspendido tras las arborescencias del bosque pintado?

su hieratismo de robots, cuerpos embadurnados de cremas filtrantes, gafas ahumadas de forma extravagante, prominentes narices de plástico conferían a la tribu grotesca de los playeros un nimbo irreal y amenazador, subrayado por el zotal y desinfectante con el que algunos, después de cepillar sus prendas de sport, frotaban enérgicamente el suelo

los excluidos de aquellas medidas de profilaxis secreta permanecíamos acodados en la balaustrada de la terraza, fascinados también por la inmovilidad del cuadro, el astro mendaz y fijo, las vistas del mar dibujado entre los pinos, la creciente sensación de vacío y confinamiento

había planes de evacuación general, como sostenía sin pruebas la dama de la boquilla de ámbar, o nos mantenían simplemente apartados de los demás a causa de nuestras lecturas o tests sanguíneos?

la prolongación indefinida de la jornada, modificación del horario de comidas, ausencia súbita e inexplicable de los empleados de la casa de reposo que de ordinario nos servían contribuían a acrecentar el malestar y alarma entre los reunidos en la terraza, el kirghís del pijama de rayas consultaba ansiosamente un diccionario como si quisiera formular preguntas o dirigirnos al fin la palabra, el profesor de árabe había abandonado su estudio del volumen de Ibn al-Farid y examinaba con manifiesta aprensión los ejercicios de los playeros, movimientos automáticos de piernas y brazos, bustos ladeados, inspiraciones-expiraciones de resuello mecánico orquestados por el monitor vestido de chándal y pantalón de gimnasia, pura guerra de nervios según el prior del monasterio griego o preámbulo de una nueva agresión más aleve y difusa?

me gustaría hablar con usted unos minutos, le dices

perdone mi franqueza, su propuesta es una iniciativa personal suya o bien ha solicitado usted la autorización de conversar un rato conmigo?

dado lo similar de nuestras preocupaciones y experiencias he pensado

lo siento, en tal caso, no puedo comunicarme con usted

el Archimandrita te vuelve bruscamente la espalda y el seminarista vibra con languidez sus pestañas, no le basta saber lo ocurrido al señor del sombrero de paja? en los tiempos recios que corren aprenda a dejarnos en paz!

y a solas otra vez en la balaustrada de la terraza, apresado en el voluble conciliábulo de las damas, con la vista perdida en los playeros y sus absurdos preparativos bélicos, obnubilado también por el disco bermejo del sol, delusoria quietud del jardín, bosque de embelesada artificiosidad, conjura de signos acechantes de la amenaza imprecisa que se cierne, plaga, irradiación, virus, premonición de muerte, augurada irrupción de la desgalichada de las dos sílabas con sus piernas zancudas e inverosímil silueta de espantapájaros

por qué habían puesto precisamente allí la reproducción del cuadro?

elaborado en vernis mou por artista de poderes visionarios, su malignidad, en apariencia discreta, contaminaba insidiosamente la pieza, embebía su atmósfera de una suave y ponzoñosa inquietud

qué significado atribuir a aquella alegoría de la parca sembrando la cizaña colgada en la pared de tu cuarto, a tres metros escasos de la cabecera del lecho en el que, después de tu inexplicable caída, permanecías en un estado febril y confuso, tratando en vano de aquietar los nervios?

procura no mirarla, dijo, la enfermera vendrá dentro de unos minutos y te pondrá una inyección, verás cómo luego dormirás como un ángel

pero cómo apartar la vista de ella, de su negro sombrero de alas anchas, faz velada, capa con vuelos de mortaja, extremidades filiformes, zuecos lentos, macizos, de ponderosa gravitación?, te miraba, os miraba a través de las greñas, con ojos emboscados en la espesura dotados de fulgor e incandescencia, pupilas escrutadoras y voraces, duchas en el arte de vislumbrar por entre la maraña de velos los componentes de la escena y sus actores ofuscados, presencia glacial y avasalladora inmediatez del perigallo de mujer enmarcado en la habitación, sin indicación alguna tocante al autor y fecha de su trabajo

habías pedido al médico y enfermeras que lo retirasen?, te parecía recordarlo así pero, al revés, insististe en que lo dejaran, dijo, asegurabas que su imagen te distraía y apaciguaba, después del trauma necesitabas fijar la atención en algo y sus velos de viuda, miembros desmadejados, regazo preñado de muñecos y fealdad chirriante de espantapájaros te procuraban diversión y solaz, fueron días difíciles en los que apenas podías moverte, tu enfermedad amenazaba con extenderse, los calmantes te mantenían exteriormente amodorrado, en una fase de secreta y fecunda receptividad y entre delirios, caos onírico y acronías sonámbulas, repetías frases a primera vista inconexas, increpabas amorosamente al poeta, le reprochabas el enigma insoluble del Cántico, asumías giros de su lenguaje quebrado y tenso, recorrías la geografía alucinada de sus versos, sus espacios insulares y extáticos, presa de temores y arrebatos mesiánicos, oscilando entre la anchura y lobreguez de su noche espiritual

imágenes turbadoras, centelleos súbitos de recuerdo, disipación gradual de la bruma, acci-
dentado, enfermo, irradiado, sujeto a la terapia
normalizadora de una prisión inquisitorial con
fastos y atributos de clínica?, evocación rauda y
evanescente del señor mayor tocado con su sombrero de paja entrando a hurtadillas en tu dor-
mitorio con el índice sigiloso en los labios, mensaje apenas susurrado con el rostro descompuesto
de pavor, se ha dado cuenta, es que se ha dado
usted cuenta de dónde estamos?, el tiempo de
que la camarera encargada del orden y aseo del
piso irrumpa tras él en la pieza y le agarre sin con-
templaciones del brazo, vamos, profesor, no ve
que está molestando al señor extranjero invitado?, aparición neblinosa e irreal en el duermeve-
la de una ansiedad nocturna cargada de preguntas, minutos u horas antes de tu caída en las
escaleras, acostado aún pero con el oído atento a
los rumores filtrados del exterior, a los playeros
absortos en la ejecución de sus estrafalarios ejercicios de autodefensa, qué hacían plantados frente al astro artificial a medianoche con su aspecto

bufón de pingüinos y aguerrida disposición de ánimo?, habían sido invitados por error al congreso de comentaristas y exégetas de la experiencia místico-poética o bien el equivocado, los equivocados erais la media docena de especialistas amedrentados y esquivos que os cruzabais a diario en el lugar abrumados con el peso de aquella atmósfera paulatinamente opresiva y tensa?, las ponencias confiadas a los promotores de la reunión, tu reconstrucción intuitiva del *Tratado de las propiedades del pájaro solitario* entregada semanas atrás al intérprete para su traducción, fotocopia y distribución entre los demás colegas no os habían sido devueltas, las actividades anunciadas en el programa sufrían inexplicable retraso, vuestras preguntas o reclamaciones no obtenían respuesta y nadie se disculpaba siquiera del hecho de que tus notas y manuscritos de trabajo te hubieran sido confiscados, fue el deseo aguijador de saber y dejar las cosas sentadas, de averiguar por qué estabas allí y cuanto ocurría de verdad a tus espaldas el que te impulsó a incorporarte de la cama, vestirte, calzarte, espiar desde la ventana las maniobras de la embadurnada milicia de los playeros, arrojar al suelo las curvas y gráficos de tu dudosa agresión viral, indagar la posible irradiación de la zona y la consiguiente adopción de medidas cautelares?, sea prudente, dijo la de la larga boquilla de ámbar, nuestros corazones están con usted, un foco disimulado por el decorador en los telares del escenario iluminaba el interior de la habitación sin alcanzar el pasillo y avanzabas por éste a oscuras y a tientas percibiendo detrás el paso acolchado de médicos y enfermeras, ardua ascensión de fondos abisales en busca de luz y aire, holgura, respiración, cercano a las frescas mañanas escogidas, a la más cierta luz del mediodía, anegado en un baño de delicia sutil

y luego voces, órdenes guturales, imagen insegura del playero del chándal y pantalón de gimnasia agazapado en lo alto de la escalera, esgrimiendo en la tiniebla un madero o estaca, golpe brutal, pérdida de equilibrio, sensación de rodar y rodar en la espiral del remolino, atraído al vórtice de Aminadab por la fuerza torrencial de las aguas

III

como en un sueño dentro de un sueño dentro de un sueño pero enteramente despierto percibía, percibías el bronco y levantisco rumor, la sorda marea de voces

eco tenaz aunque sujeto a variaciones de volumen y tono, como si alguien, desde algún remoto centro de control, verificara la nitidez de los micrófonos antes de una representación o procediera al examen audiométrico de un paciente afectado de sordera

un simple murmullo o zumbido cuya intensidad, en vez de dibujar una línea recta o suavemente quebrada, trazaba garabatos de zigzag como un enloquecido cardiograma, breves silencios o pausas llenos de tensión antes de que la colectividad emisora prorrumpiera al unísono en un rugido, un ay! bruscamente interrumpido por un ignoto acaecimiento o prolongado al extremo, en una especie de bramido hosco, puramente visceral, como el de bestia sacrificada en el matadero

minutos u horas al acecho de aquel acecho, la súbita marejada de voces que parecía desbordar

de las gradas de un estadio cercano pues su sonido traspasaba los recios muros de piedra y, a través del largo corredor sin ventanas, alcanzaba a
su celdilla por la abertura de la saetera, un partido de Liga como había oído comentar una vez al
carcelero con el Visitador o algún fraile?, el equipo de la localidad enfrentado al de una villa
rival? o quizás un certamen deportivo de mayor
enjundia y alcance?, el apasionamiento de aquel
gentío apretujado, fundido en un organismo
único, de reacciones simultáneas y concordantes,
inducía, te inducía a creer en la trascendencia de
la baza que disputaban, un lauro o recompensa
cuya obtención otorgaría al vencedor un presti-
gio acaso ecuménico, cómo explicar si no la insó-
lita conjunción de voluntades, vibración interior
compartida, movimientos coordinados de voz,
saltos y ahíncos del corazón, inflamación, trance,
apoderamiento?
el fondo sonoro del gentío arremolinado en el
graderío, comulgando en un mismo fervor sin
temor a celisca ni cierzo, pautaba con sus rup-
turas, evoluciones y altibajos un tiempo de otro
modo inconmensurable, aliviaba la angustia que
se adueñaba de mí, rompía la soledad y opresión
de un ámbito cuyos límites y situación exactos
desconocía pero podía imaginar a partir de las
salidas nocturnas en las que, escoltado por el
guardián, me llevaban al refectorio a ayunar y
recibir la disciplina circular de los frailes

poco importaba que el aullido perdurara de modo inquietante más allá de la natural efusión consecutiva a alguna victoria o proeza de los autóctonos, su efecto cálido y lenitivo, forjado por millares de gargantas, suavizaba mi angustia ante la ordalía y las longuras del proceso que me aguardaba

a las profundas cavernas del sentido, que estaba oscuro y ciego, irrumpían con lámparas de fuego un grupo de Calzados, docenas de seglares, gente de armas, voces que se elevaban hirientes y acentuaban el timbre amenazador según se aproximaban, habían descerrajado el pasador clavija a clavija en vista de que no abrían dándole tiempo de rasgar sus papeles y engullir los de mayor peligro, ya voy, ya voy, luego, luego, mientras los frailes se agolpaban a la puerta y conseguían forzarla, se abalanzaban a él y su compañero, les arrastraban a un convento maniatados con hierros, exponían su presa en el coro y la hacían flagelar por los guardias

era verdad, había leído aquella escena en un libro o se trataba de una pesadilla obstinada?

la espalda me dolía, como si en la cámara oscura de los nefandos me hubiera abandonado una vez más al brujuleo de mi secreta gravitación, al sufrimiento y beatitud entremezclados, a la extremada dicha, pero el espacio angosto en el que despertaba, después de un viaje onírico por tierras quebradas y senderos ásperos, no correspondía al de las ergástulas en donde, ahíto de ciencia sabrosa y acunado por el cuchicheo de las togadas, recobraba la conciencia de mis deleites en el jardín de la Doña, un hueco de unos seis pies de ancho y diez de largo empotrado en una pared de piedra berroqueña, con una única y avariciosa aspillera abierta a la penumbra del corredor

ni el mísero lecho de tablas, mantas desgarradas y sucias ni la escudilla de ceniza que inicialmente confundí con un cuenco de agua se conformaban tampoco a la disposición de los reclinatorios de las celdillas en las que nos recogíamos y arrodillábamos a recibir el licor, la dulce semilla sacramental con esa meticulosa reiteración de las almas pías que, una vez cumplidos los ejercicios y preces al santo de su devoción, acuden afanosas a otras capillas, con un ardor y unas ansias difíciles de aplacar

(le habrían traído allí de noche y con los ojos vendados tras recorrer calles empinadas y estrechas, obligándole a dar vueltas y revueltas para desorientarle e impedir que reconociera el camino conforme a las decisiones capitulares de Placenza y las órdenes del Tostado?)

sumido en la tiniebla a medida que la luz de la saetera palidecía y el candil no iluminaba todavía la bóveda del corredor subterráneo, escuchaba, aguzando el oído, en estado de suspensión y quietud receptivas, la sorda mareta de voces, los aullidos y clamor del estadio

vestido con una burda zamarra hasta las rodillas, sin hábito ni capilla ni escapulario, no era aquel grotesco disfraz el más adecuado a sus deseos de zaherir la farsa de un mundo irremisiblemente condenado al desastre?, mil muertes llevaba ya tragadas para salir de la cárcel del cuerpo y de un universo corruptible que se secaría como heno, sus grillos valían más que mil coronas, y aparejado para sufrir todos los tormentos, las ofertas tentadoras de un priorato, una celda espaciosa, el acceso a una biblioteca con manuscritos antiguos, no sólo griegos y latinos sino incluso hebreos y arábigos, no habían conmovido su fortaleza ni hecho mella en su ánimo, mejor los harapos, hediondez, bazofia, desprecio de la comunidad, ayunos a pan y agua, disciplina circular, reprimendas, injurias, interrogatorios a través de la puerta de la mazmorra
(escuchó al Visitador y los suyos mientras espulgaban genealogías interminables sin percatarse de la limpia verdad de la doctrina, de que todo era tierra y a ella volvería y, en la hora del tránsito, a solas con sus obras, no serían

castigados ni redimidos por la sangre de sus antepasados)

cristianos muertos más que cristianos viejos, obedientes a reglas de coro y campanilla, tragaban el camello y colaban el mosquito, confundían grano con paja, buscaban la presencia del Amado en un templo de cantos y no la hallaban en su fuero interior, en la sustancia de sus templos vivos!

la voz del carcelero, de plática con los frailes, rompía el silencio de su oquedad angosta, la rutina de unas horas medidas en función de la mayor o menor intensidad de la luz que se colaba por la aspillera, las amenazas iniciales de hacerle desaparecer y empozarle habían cedido el paso a temas de conversación más vulgares, las rúbricas cotidianas del breviario o misal, menestra del refectorio, limpieza de bacinillas mezclados a veces con especulaciones sobre la plaga misteriosa que infectaba algunos barrios de la ciudad o las apostillas a la inmediata divulgación por el tornero de las incidencias del juego en el estadio

observó que el refitolero, al introducir por el portillo su consabida ración de nabos y lentejas, usaba guantes de enfermero y se cubría el rostro con una mascarilla

sorprendido con aquella inesperada innovación del régimen carcelario, permaneció absorto, sin recoger el lebrillo del suelo y sus ojos, al cruzarse con los míos, expresaron por vez primera desamparo y perplejidad qué significaban aquellas precauciones, el cordón sanitario impuesto a su celda por los del Paño? su contagiosidad era asimismo física o, como había creído hasta entonces, solamente espiritual?

cómo y cuándo se había introducido en la celda? al abrir los ojos o cambiar de postura en el pobre jergón en el que yacía, le había divisado de pronto revestido con toda la pompa de las grandes solemnidades, capa pluvial con orillos de pluma, mitra con penachos de coracero, anillo pastoral y báculo en forma de cetro, conjurándole con gestos y ademanes a que hablara paso, no turbara el silencio, había venido de lejos, muy lejos, desde la casa jardín de descanso, a prevenirle y reconfortarle, sirviéndose de toda clase de estratagemas para entrar en el monasterio y adormecer las sospechas de los frailes, un trayecto azaroso, plagado de trampas y peligros hasta dar con él, con la mazmorra en donde le tenían sepultado, había consultado las actas del capítulo de la Orden y sus cargos, aunque infundados, eran muy graves, se le acusaba de falso, contumaz, delusorio, arrogante y blasfemo, de haber sostenido con gran pertinacia y luciferina soberbia, en vituperio de los doctores y autoridades, una cáfila de proposiciones erróneas, malsonantes, contumeliosas y heréticas, de seguir la diabólica senda de los ofi-

tas, carpocracianos, nicolaítas, adamitas, prisci-
lianos y demás precursores de los modernos
alumbrados, dejados, arrobados y transpuestos,
de querer mantener el alma en un estado de suspensión y quietud, desechar los simulacros de la
oración vocal y toda muestra de devoción exter-
na, aniquilar la propia voluntad y ceder a la
suciedad de los apetitos para mejor mortificar los
afectos, han mandado emisarios a las principales
medersas de Oriente a recabar información sobre
los shadilíes, están convencidos de que existen
puntos de convergencia secretos entre sus poemas y los de los visionarios y místicos de la ponzoñosa secta mahometana, sus espías andan escu-
driñando las tesis sobre el tema y no se recatan de
fotocopiar y apoderarse de nuestros papeles, el
señor mayor con el sombrero de paja con quien
nos cruzábamos en el balneario fue raptado y
sometido a la tortura del cordel y la jarra de
agua, querían sonsacarle sus glosas a la lectura
de Ibn Arabi e Ibn al Farid pero, avisado por
mi fámulo, se tragó las más comprometedoras
y arrojó las otras al excusado, el joven profesor de
árabe pudo eclipsarse a tiempo y permanece en
algún escondrijo huyendo del prior de la Orden
y la violencia de sus sicarios, quería comunicarse
a toda costa con usted y hacerle llegar un mensaje cifrado que, a última hora, en el apremio de
su fuga, no alcanzó a entregarme, corren tiempos
muy recios, caminos y fronteras están estrecha-

mente vigilados, los malsines rastrean los pueblos en busca de presa, las sospechosas de enfermedad son sometidas a tests sanguíneos y aparcadas en los estadios, cuando vengan a interrogarle no diga una palabra sobre mi visita, las pruebas de que disponen para incoar el proceso son todavía endebles y debe preparar su defensa contra cualquier vinculación con herejías anteriores y ya condenadas, el lenguaje multiforme e infinitas posibilidades significativas de sus versos les tiene perplejos, la confusión de espacios, tiempos, temas y personajes les envuelve en un sueño despierto del que inútilmente intentan zafarse, evite sobre todo la relación de la noche oscura con la cámara negra de nuestros éxtasis y derretimientos, la alhama de la Doña sigue precintada y las supervivientes de la visita del adefesio, la de las piernas zancudas e interminables, pueden ser convocadas de un momento a otro para establecer los hechos, nuestra venturosa presencia en los lugares, la menor imprudencia suya, una interpretación literal del entremos más adentro en la espesura, corre el riesgo de ponerles sobre la pista y alimentar las llamas del fuego que nos preparan, mi fámulo ha seducido al carcelero con su bonita túnica de seminarista y sus ligas rosas pero la ronda de los frailes no tardará en llegar y me obliga a interrumpir mi misión apostólica, no hable, no conteste, no me mire, dése la vuelta y cierre los ojos, lo indispensable ha sido dicho, no demoremos el encuentro ni prolonguemos el negocio, esperaré a que esté usted dormido para escurrirme de esta horrible cárcel desde hace tiempo, el rugido de millares de gargantas ha subido de tono pero el clamor con el que los espectadores han acogido el presunto gol de victoria o laudo arbitral favorable a la alineación autóctona se prolonga más allá de lo razonable y plausible, deviene francamente irreal e inverosímil al cabo de algunas horas

será, como has oído decir en el corredor de tu celda, que se está disputando un torneo eliminatorio de equipos venidos de todas partes del mundo? o, según te inclinas a pensar ahora, la mera transmisión de una cinta grabada en el curso de uno de los encuentros, repetida después una y otra vez, por pereza e incuria del carcelero?

el aullido de bestia degollada que rompe el silencio y la ardorosa reacción que suscita apuntan no obstante a hipótesis más violentas y crudas, celebraciones de muerte ritual, tortura y sacrificio de animales, ofrendas aplacadoras a la Divinidad, mutilaciones y suplicios salvajes

te había querido poner sobre aviso la Archimandrita cuando, con el largo cigarrillo tembloroso en el extremo de su boquilla de ámbar, murmuró como para sí misma, antes de eclipsarse, panem et circenses, estableciendo así un paralelo entre la amoralidad de aquella época y la existente en la Roma cesárea?

pero si las ilusorias justas deportivas encubrían realmente ejecuciones y matanzas, quiénes eran los condenados expuestos en la picota, immolados a la vindicta de un público siempre ansioso de verter fluxus seminis a la vista del fluxus sanguinis, relajados al brazo secular, sujetos a piras de leña viciosamente verde, asfixiados primero por el humo y achicharrados después por las llamas? alumbrados, poetas, dexados, místicos, hechiceros, judaizantes, nefandos?, les conducían descalzos con sambenito, coroza, mordaza, una soga al cuello y cirio glauco en la mano al capítulo de santos varones que había dictado la sentencia y les exhortaría piadosamente al arrepentimiento final antes de prender la fogata?, o se trataba de enfermas e irradiadas, portadoras de gérmenes

(habían destruido sus hormigueros y circulaban patéticas y desorientadas)

exhibidas en jaulas, grotescamente disfrazadas de faisanes o aves del paraíso, desde las alhamas y nocturnas guaridas en donde habían sido apresadas?

qué suerte te aguardaba en esta mazmorra sombría, hambriento e incomunicado, objeto de vejámenes y amenazas para que revelaras a sus

espíritus botos y estrechos la naturaleza inefable de tus experiencias, el sentido unívoco de unos versos necesariamente ambiguos y grávidos de misterio, unas metáforas omnivalentes, reacias a toda interpretación restrictiva y dogmática?
una inquietud te corroía y atormentaba
habían recuperado y recompuesto en tu casita de la Encarnación los fragmentos del *Tratado de las propiedades del pájaro solitario* que no tuviste tiempo de engullir y te limitaste a rasgar, para desperdigarlos en menudos pedazos?

terraza abalaustrada de la residencia de descanso, descoloridas meridianas entre macetones de hortensias, franja de mar apenas visible tras el arracimado verdor de los pinos, ademán de su mano indicando que no hay peligro, ningún empleado o enfermera ronda los parajes, los playeros han desaparecido, el día es templado y amable, sólo la falta de viento infunde a los abetos ordinariamente susurrantes una extraña y sospechosa quietud

el joven profesor de árabe viste con sencillez a la manera de su tierra, en su rostro magro y ascético, realzado por la espesura de la barba y el bigote negros, sus ojos brillan con remansada diafanidad

me llamo Ben Sida, dice, probablemente sepa de mí o mi nombre le sea familiar por los documentos y libros que ha consultado, es una pena que un conjunto de circunstancias que usted conoce tan bien como yo nos haya impedido comunicar hasta hoy pese al hecho de haber convivido algún tiempo en este infernal balneario, las autoridades habían aceptado la idea de un simposio como un mal menor, un medio de vigilar nuestros pasos y mantenernos bajo control, el acercamiento pluridisciplinar a la obra del santo les llenaba de ansiedad, su ambigua tesitura espiritual, la posible conexión de sus versos no sólo con los tradicionales epitalamios judíos sino también con los raptos y alucinaciones de nuestros místicos y alumbrados les hacía temer que les arrastráramos a un terreno escabroso y erizado de peligros, el de un ejido común a experiencias distintas y aparentemente enfrentadas, la mera idea de sus afinidades secretas con la mahometana secta e incluso con las nieblas de la ciega gentilidad conturbaba profundamente sus almas, el prior y los inquisidores juzgaban la iniciativa blasfema, cómo un santo y doctor de la Iglesia podía haber incurrido en esos dislates y extravagancias?, ni los frailes fugitivos de sus conventos, dados al trato asiduo de brujas y mujerzuelas, habían llegado a extremos de temeridad semejante!, no les cabía en la cabeza que, bastantes siglos atrás, nuestros poetas hubieran predicado también la vía unitiva, la indispensable referencia a Ibn Arabi, Ibn al Farid, Mawlana y Al Hallax les confundía y alborotaba, la radicalidad de un lenguaje que entroncaba con la embriaguez mística, saliva con vino entremezclados en boca del Amado, sacudía la firmeza de su propio suelo, lo que para nosotros es aguja del norte que guía y protege a los mareantes encarna para ellos la ingénita maldad asociada en sus espíritus a la religión execrada, el cúmulo de coincidencias, similitud de imágenes, vaguedad conceptual, ruptura del sistema de equivalencias, expansión infinita del sentido de los vocablos captados por los comentaristas y exégetas de los dos campos les parecía el fruto de una conspiración perversa contra la figura embalsamada que celan, cómo sensibilizarles al fulgor de una visión poética capaz de traducir una experiencia sin límites en sus derrames y desbordamientos, hacerles comprender que la variedad y fluidez de los estados del alma en trance de amor no puedan expresarse sino mediante un lenguaje igualmente rico y complejo como el que hallamos en el *Elogio del vino*, *Diván de Chams Tabrizi* o *Intérprete de los deseos*, persuadirles de que las nociones y símbolos de apretura y anchura, subida al monte, fuente interior, lámparas de fuego o pájaro solitario sobre los que unos y otros trabajamos no obedecen muy probablemente a lecturas furtivas del santo sino a vivencias convergentes en un deliquio y suspensión ajenos al cuerpo de las doctrinas?, sus sicarios se habían adueñado de nuestras ponencias y las escudriñaban febrilmente, don Blas invocaba al espíritu de la Cruzada y exigía un auto de fe de las obras impías, después de retenernos con mil pretextos en la casa de descanso exhibían abiertamente su fuerza y pretendían amedrentarnos, todo error o imprudencia les procuraba la ocasión que perse-

guían, el señor mayor, el Archimandrita y su fámulo cayeron uno tras otro en las redes de su justicia, habían pillado al seminarista en la cámara
oscura de una alhama y, sometido a tortura, un
testigo afirmó haberle oído exclamar en su gozo-
so derretimiento «por qué no vendrá el Turco y
ganará esta tierra para que cada uno viva como
quiera?», frase que, admitida por él, ante la amenaza de la inmersión repetida en una tinaja,
determinó su rigurosa condena, de nada le valió
que en su terror diera la lista completa de sus
cómplices y les abrumara a cargos delirantes y falsos, exhibido en la jaula, con las contaminadas,
fue conducido en procesión al polideportivo y
entregado a las llamas, sus voces y lamentos de oh
cuitada de mí se prolongaron durante minutos,
no los escuchó usted?, no hubo modo de escapar
a ellos aunque me había tapado los oídos y sepultado la cabeza bajo un montón de almohadas
en el escenario vacío de la mansión de reposo no
se mueve una hoja ni se divisa a un alma
el silencio!, por qué este silencio?
(eres tú quien ha hablado, transformando la
pregunta en una especie de grito?)
no le han prevenido? dice Ben Sida, la región
entera ha sido evacuada, hablan de una nube
radiactiva para eliminar el virus pero no confío
en sus palabras, temía que, si no me escondía,
me obligaran a subir en los camiones y me lle-
varan con los demás al estadio

si se trataba tan sólo de un proceso de transferencia e identificación sicopática con el autor de la obra de tantos amores y penas, como sostenía sonriente junto a mi cabecera, por qué me mantenían encerrado en aquel húmedo y cruel calabozo?, la oquedad de seis pies de ancho y diez de largo, la yacija de mantas desgarradas, el hilo de luz que se filtraba del corredor a través de la saetera correspondían, como pretendía con serenidad imperturbable, a una descripción copiada punto por punto de algún tratado u obra de consulta sobre el tema?, los cabildeos de los Calzados en el refectorio, amenazas sordas, invectivas que descargaban sobre el frailecillo impostor que les ponía en solfa, golpes en ruedo de la comunidad durante el rezo del Miserere, dolor tenaz de mi espalda a consecuencia de los latigazos recibidos por orden del Nuncio Apostólico eran también quimeras mías, fruto de una imaginación extraviada y morbosa?, Ben Sida me había puesto en guardia contra las artes e insidias que fraguaban, uso de fármacos, tratamientos siquiátricos, recurso a drogas destinadas a alterar la percepción normal del prisionero y doblegar poco a poco su resistencia, la obstinada jaqueca y punzadas en el costado izquierdo, no serían secuelas de ese tratamiento refinado y perverso?, en tiempos tan acerbos, cuando los lobos de la Orden se confabulaban contra mí, malinterpretando mis versos y levantando que decía lo que nunca pensé ni dije, cómo dar crédito a sus diagnósticos y tratamientos médicos?, los cargos expuestos con tal encadenamiento, agudeza y malicia que, aun siendo a veces verdaderos en cuanto a mis palabras y hechos, resultaban a la postre enteramente falsos, no revelaban acaso los designios del Tostado de acabar con las tentativas de reforma y nuestra rica aventura espiritual?, los interrogatorios a los que me sometían, irrumpiendo crudamente en la celda con alguaciles y guardias armados, eran un sueño vulgar como afirmaba después de tomarme el pulso o anotar la fiebre en sus gráficos?, su rostro benigno no sustituía en la consabida alternativa policial de calor y de frío a los de quienes minutos atrás, sin su suficiencia ni ínfulas, me habían presentado un largo pliego de cuestiones de doctrina, coaccionándome con su abrupta presencia y exigiendo que las aclarara?

en la alucinación verbal de mis poemas místicos no se transparentaban imágenes eróticas de manifiesto carácter profano?, conocía el *Intérprete de los deseos* y su manera de transmitir el trance

amoroso del poeta en una lengua sutil y enigmática?, había leído la poesía de Ibn al Farid y
los comentarios de sus glosadores?, era cierto
que los novicios descalzos recitaban los versos de
La noche oscura y solían corearlos, acompañándose de palmadas rítmicas, durante las quietas?, les
había iniciado también en el arrobo de los estados místicos, el giro ritual de los bailes suspen-
sivos y extáticos?, sabía que Mawlana y sus derviches aspiraban a arrancar asimismo a las almas
de su letargo mediante la danza, prendían en la
sama la llama suavísima de su incendio, predi-
caban la fusión íntima de conocimiento y amor?,
los últimos estudios comparativos que habían
llegado a sus manos no les permitían abrigar
ninguna duda al respecto, establecían con toda
nitidez el contubernio existente entre mi doctrina y la dé los sectarios del Islam
imputaciones, denuncias, vituperios de frailes
e inquisidores, sin atender a razones ni réplicas,
volviendo siempre con pertinaz sordera a la
pregunta que no cesaba de contestar!

don Blas, la figura inolvidable de don Blas con su boina y polainas, chaquetón de cuero forrado de piel, camisa azul con cruces y medallas, entraba en casa pisando recio y fuerte, rodeado, seguido, mimado por una cohorte de mujeres, enfermeras sirvientas tías primas, afanosas todas de besarle la mano, obtener su bendición preciosa, ofrecerle algún menudo servicio, aureolado como estaba de un nimbo flamígero, guerrero santo monje soldado, negaba con gallardía sus señales de cansancio, la jornada había sido dura, todo el día en el frente animando a nuestros muchachos, reconfortando a los heridos, asistiendo caritativamente a los prisioneros que solicitaban la confesión antes de ser fusilados, un hombre justiciero y recto, inflexible tocante a los principios pero también compasivo y tierno, decía exaltada doña Urraca, le he visto llorar cuando un infeliz chicuelo rechazó sus auxilios espirituales, se encerró en la capilla de oficiales y rezó y rezó para que el Señor se apiadara y recibiera a su alma, su obra apostólica es inmensa y de frutos abundantes, otros con menos mérito que él han ascendido a los altares y figuran hoy en la milicia espiritual de la Iglesia, todas iban o venían de la cocina con refrigerios y tisanas, le consultaban sus dolencias y dudas, le hacían bendecir sus escapularios y, a enjambres, como abejitas del Señor, acogían el fresco rocío de sus palabras

de tal palo tal astilla, le dice, no te bastaba el calvario que el diablo vestido de papel impuso a tu desdichada familia?

está en el calabozo con el prior y media docena de frailes, inclinado con ellos al lecho de mantas en el que yace, el hambre, sufrimiento y enfermedad le impiden incorporarse, la luz que se cuela por la aspillera es mezquina y se esfuerza en mantener los ojos abiertos para cerciorarse de que, como pretende el doctor, no sufre una vez más una pesadilla

hemos recompuesto los papeles que destruiste, dice el prior, no sabes que la obstrucción a la justicia es un crimen e incurre en castigos muy graves?, buscábamos tu *Tratado de las propiedades del pájaro solitario* y no hemos dado con él, te lo tragaste entero como afirman los testigos?, lo has puesto en seguro en algún monasterio de los Descalzos?, gracias a nuestras misiones en tierras de infieles e incursiones en medersas otomanas sabemos que la imagen del pájaro místico aparece frecuentemente en la poesía de la secta sarracena, varios libros heréticos, impresos fuera de nuestros reinos, mencionan su presencia en Kubra, Algacel y Avicena, ábrete, dinos de una vez, cómo justificas estas asombrosas coincidencias?, de qué modo tuviste acceso a unas obras prohibidas e inexistentes en nuestras bibliotecas? quién las consiguió e hizo llegar a tus manos?, ese pájaro sutil, incoloro, asexuado, tiene algo que ver con los que el regidor de nuestra muy fiel isla de Cuba hizo prender y enjaular recientemente en La Habana?, qué nexo hay entre los adeptos a la noche oscura y esa turba de pájaros capturada en sus guaridas nocturnas y cuya ejecución reclama a voces el público en el estadio?

volé tan alto, tan alto, murmurará al fin medio desfallecido el prior, don Blas y los frailes examinaban con una mezcla de desdén y rencor al prisionero arrebujado en las mantas

acaso no estaban ellos allí para cortarle precisamente las alas?

en una noche oscura, con ansias, en amores inflamada, oh dichosa ventura!, salí sin ser notada,
estando ya mi casa sosegada, furtiva y exaltada,
con mi Canto, desestimaba aljamas, desconocía
antros, cifrando en las alhamas mi deleitable
Santo de los Santos, oh gloria de la noche luminosa!, gehena del oscuro mediodía!, las almas
temerosas hacia él convergían por las calladas
vías enjundiosas, por sendas de crudezas y de
humores buscaban conmigo la luz negra, el cerco de presuras y de goces, el rayo de tiniebla donde de tal manera se conoce
siga, siga, dijo
(tenía una jeringuilla entre las manos
me acababa de dar una inyección? de qué medi-
camento o droga se trataba?)
yo: la de las piernas zancudas e interminables,
túnica suelta sobre extremidades filiformes,
bolsos o refajos con docenas de muñecas, capa
flotante de color lila o rosa en la que se envolvía
como en una bandera no había abolido aún
nuestro reino, la Doña, con su cabellera bermeja, tronaba hierática en el minibar

le duele ya menos? verdad que ha comenzado a invadirle como una grata sensación de paz? (hablaba él o el prior?)

yo: nos dábamos cita allí, en el berberisco salón con lámparas de vidrio translúcido y pie borneado de bronce, dispuestas ya al periplo de la noche oscura, su afán de trascendencia y unión, misterios de gozo y dolor, extática travesía fecunda

cuente, no se detenga, soy todo oídos!

yo: abrupto descubrimiento, ser sólo la corteza, desconocer la ígnea realidad del Centro

nos interesa su versión de la cámara negra, de cuanto hizo, percibió, escuchó

yo: ardor, ardor, aleteos bruscos del corazón, movimientos y brincos de los sentidos, inflamación amorosa, éxtasis, derretimientos

(el prior, el rostro convulso del prior)

yo: rueda circular, varillazos recios, espaldas cubiertas de sangre, lenta salmodia del Miserere por invisible coro de frailes

no se divierta usted del tema! nuestras reglas monásticas no le atañen

yo: disolución, apretura, aniquilación de la luz, viaje nocturno, intuición unitaria, estoy quieto, arrobado, suspenso mientras con una candela prende un fuego lenitivo a mi pecho

quién?

yo: no daré nombres

en la cámara negra?

yo. todavía en la prima noche, en la antesala
sensitiva del dejamiento
coincidió con el fámulo del Archimandrita, el
mozuelo que ardió en el estadio?
yo: tiniebla, tiniebla, regalada espesura de la
interior bodega, sombras acechantes, toques
delicados, cauterios suaves, verdades macizas,
adobado vino, enardecimiento, fusión jacula-
toria, hontanar, regadío feraz, densa y embria-
gadora virtud, emisiones de bálsamo divino
(me habían sacudido, golpeado, tirado del brazo
mi evocación era a tal punto blasfema?)
quedéme y olvidéme, digo
(todos me miran fijamente con las caras prote-
gidas con mascarillas)
yo: cesó todo y dejéme
doctor, no habrá forzado usted la dosis habitual
de calmantes?

en los balcones ataviados como palcos de teatro, portales con blasones y escudos nobiliarios, tiendas de lona fastuosas destinadas a visitantes y deudos la miel de caña de la ciudad se agolpa en el trayecto, damas con sombreros tutelares umbeliformes o acampanados, penachos con plumas de avestruz, monóculos crispados sobre un ojo insolente y azul, anteojos plegables de nacarada empuñadura, flabelos inmensos que cierran y extienden al abanicarse con la destreza ostentosa y rauda esquivez de ofendidos pavos reales

atraído también por la novedad y colorido del espectáculo, el pueblo llano se alinea desde las cercanías de la prisión inquisitorial al estadio, insensible a la espera, el calor y las moscas, absorto tan sólo al parecer en la lenta masticación de altramuces y pipas de girasol

(alguien ha difundido el extravagante rumor de que son un remedio eficaz contra la propagación de la plaga)

otros se han agenciado botellas de vino o aguardiente y beben a caño, jubilosos, barbudos, zafios, despechugados, gastando bromas sobre nosotras, las relajadas al brazo secular, la carretada de enfermas conducida a la hoguera con toda la pompa y majestad que exigen las circunstancias, precedidas, rodeadas, seguidas de un cortejo de dignatarios, prebostes, oblatos, jerarcas de la Orden, comisarios apostólicos, Padres del Paño, jueces vicarios y letrados del Santo Oficio, Nuncio con su capa pluvial báculo y anillo, larga teoría de diáconos y monaguillos con cíngulos y túnicas blancas

(la marquesa antillana, en el pescante de su tílburi nuevo y su lacayo vestido de mariscala vienen inmediatamente después)

sahumerios, plegarias, charanga de cornetas y tambores, cantos apagados por el griterío de la multitud ante las jaulas, celdillas portátiles, dice, transportadas en andas, en las que las asiduas a la alhama, a las zozobras de la noche oscura, habíamos sido simbólicamente adornadas con picos, crestas, alas y plumas, pájaros abigarrados y exóticos de una crepuscular geografía visionaria

dos confesas con la cabeza, cuello y cola emplumados de negro, pecho y vientre bermejos, copete florido como un ramo de amapolas

un ave del paraíso con airones coloreados en la testa y costados, plumaje embreado e hirsuto, cola desplegada en varillaje de abanico

una horrible gallinácea maquillada como
una máscara, cejas y pestañas estilizadas,
rímel, colorete, polvos de arroz, labios en
forma de corazón rematados en pico de
chorlito

el gentío se arracimaba en torno a las jaulas, sus
voces cubrían las modulaciones de terror de una
novicia modestamente disfrazada de golondrina
pero, expuestas a la retractación de vehementis o
la muerte absurda, asumíamos el oprobio inhe-
rente al papel con una especie de dicha desesperada, nos dejábamos arrastrar por la música, su
banda iniciaba para nosotras la levitación solar de
la sama, nuestra exhibición con plumas verdes y
visos dorados nos enorgullecía, nada importaba
ya el agorero aullido de la multitud en el estadio,
la delirante y escandalosa apariencia de pájaros
nos redimía de una existencia de humillación y
miserias, nuestro mayor empeño se cifraba en la
identificación perfecta con el modelo, esa avecilla sutil, solitaria y extática que alegoriza el alma
sufí en los grabados y miniaturas persas, aspirábamos a alcanzar la levedad concisa de su aleteo,
el equilibrio etéreo de sus puntillas, su suave
expresión de embriaguez en el instante sereno
del tránsito, las pajareras habían sido colocadas
frente al baldaquín del Nuncio y nosotras, ajenas
al bullicio y previsible desenlace del acto, pi-
coteábamos el alpiste, nos mecíamos en los columpios, agilizábamos la soltura y nitidez de los

vuelos, nos comunicábamos mediante gorjeos, hallábamos al fin, sin proponérnoslo, el lenguaje inefable de los pájaros

no, no fue así, dejadme que os lo cuente
la Seminarista abría el cortejo, prudentemente
aislada de las otras, vestía como un pavo real,
tocada con un copete de arborescente estructura lleno de frutas y colgajos, la habían maqui-
llado para cubrirle las bubas y candado el pico
con una suerte de estuche o mordaza, todas
ardíamos en deseos de verla y acercarnos a ella,
sus delaciones habían sembrado el pánico en las
alhamas, fugitivas de la zancuda de las dos sílabas caíamos como mosquitos en manos de los
inquisidores para perecer abrasadas, capsulada
en su jaula grotesca, rociada de confeti y cubierta de serpentinas, se cocía en la fetidez de su
propia baba, continuamente se revolvía con sus
odiosas plumas pero la tenían bien sujeta, quienes la portaban a hombros se turnaban a causa
del olor y caminaban aprisa ansiosos de verla
quemada, yo les seguía jadeando, sin perderme
un detalle, adaptada al ritmo infernal de sus pasos, podía ser reconocida y capturada pese a mi
hábito, pero una curiosidad más fuerte que
mi temor me impulsaba a escoltarla a la estaca

en donde sería pasto de las llamas, presenciar extasiada sus convulsiones y aullidos, insultarla, insultarla aún mientras se fundía ante mí en una masa hedionda y achicharrada!

después de un largo encierro paulatinamente ensombrecido y sin esperanzas, tomó la resolución de huir, evadirse de aquella mazmorra en donde se pudría en vida, tentar la suerte, buscar refugio en algún albergue o cenobio de sus hermanos bastaba aflojar pacientemente las armellas del candado, anudar y coser por las puntas las tiras de sus mantas rasgadas en secreto, esconder el gancho del candil del carcelero, aguardar a la colación vesperal y retiro ocasional de la guardia, descerrajar con cautela la puerta de la celda, escurrirse entre los frailes dormidos en el pasillo, alcanzar la ventana de arco que daba al cantil del río, incrustar el garabato entre madero y ladrillos del antepecho, encaramarse a éste y sujetar al garfio uno de los extremos de las jiras cuidadosamente anudadas, probar una vez más la solidez de su cuerda, quitarse el hábito y arrojarlo abajo, asirse a las tiras colgantes con rodillas y manos, deslizarse hacia el lecho remoto del río abrillantado por la luna, llegar al final de su soga y decidirse, reteniendo el aliento, al salto al vacío que daría con sus huesos en el camino de ronda o

le hundiría brutalmente en el abismo, las aguas,
el sumidero de Aminadab
fieros, hirientes, inhumanos, llegaban en sordina
a sus oídos los clamores y vítores del estadio

IV

todo se ha resuelto con insospechada facilidad, la carta de recomendación oficial de la agrupación hermana a la que pertenece, avalada sin duda por conductos internos más directos y eficaces, le ha evitado el engorroso papeleo, aligerado trámites, permitido eludir expedientes de funcionarios ocupados en extender el indispensable permiso, esa tarjeta rectangular con un número en clave que sirve para identificarse y acceder al reino del pensamiento erróneo y por consiguiente prohibido, a la acumulación de desvíos y presuntas novedades reformistas de adversarios, liquidadores y renegados, archivo de pruebas y documentos en donde consta por escrito el intento, maniobras, estratagemas, argucias dilatorias de quienes, en connivencia con el enemigo a lo largo de unos años de intensa y despiadada lucha ideológica, habían tratado de zapar las bases unitarias de la agrupación madre, sembrar divisiones y cizañas, poner en duda el cuerpo doctrinal y autoridad de los mandos, encubrir con seductoras apariencias de novedad viejas y sobadas mercancías unánimemente desechadas, poso

muerto orillado en los márgenes por la corrien-
te impetuosa de la historia, copia ingente de cartas, periódicos, documentos y obras cuya índole
nociva aconsejaba la adopción de medidas pru-
denciales, requisitos de formación sólida, fe in-
quebrantable, disciplina absoluta, fidelidad rigurosa a la línea oficial y correcta por parte de
quien, con el sano propósito de refutarlos y expo-
ner su falsedad corrupta, solicitaba la venia de
acudir a las fuentes y beber de sus aguas ponzo-
ñosas sin riesgo de contagio, un pase, un simple
pase cifrado como el que el bibliotecario en jefe
le ha tendido después de su identificación y una
consulta a la lista de los autorizados con un seco
y breve ademán del brazo, pelo gris, traje gris,
apariencia gris, mirada oculta por el irisado centelleo de la luz en los cristales de sus gafas sin
montura, es por allí, la segunda puerta a la izquierda, nuestro intérprete se encargará de orien-
tarle por el dédalo de pasillos y escaleras, el
vertedero o fosal adonde van a parar las ideas po-
tencialmente contaminadoras requiere como es
lógico unas condiciones específicas de hermetis-
mo e insularidad, él le introducirá a los ujieres y
vigilantes del recorrido a la gehena de las buhar-
dillas, su tarjeta será en adelante el sésamo ábrete de sus visitas, el trayecto es complicado y largo, sea paciente y no se desanime
paso tras paso, peldaño tras peldaño, ha cami-
nado pegado como una sombra a la silueta en-

corvada del trujamán que le cede cortésmente paso al allanar los sucesivos obstáculos, escaleras angostas, antesalas, rejas, garitas de control, un largo y penumbroso corredor flanqueado de espejos polvorientos en los que ha podido verse reflejado de cuerpo entero antes de llegar a la casilla en la que acecha el último y malencarado celador

se ha mirado y te has reconocido sin posible duda

con tu arrugado traje blanco de verano y anticuado sombrero de paja, la estampa sepia y romántica del joven señor mayor

apoyado en el antepecho de la ventana, de perfil y con la vista perdida en el exterior, me había dado la bienvenida en términos modestos y cordiales, el lugar parece a primera vista destartalado e inhóspito y algunos investigadores se quejan con razón de la insuficiencia de las estufas y ausencia general de comodidades pero, aun sin invocar el periodo difícil que atraviesa el país, sometido al cerco económico e ideológico de un adversario implacable, comprenderá usted que la inaudita transformación de la sociedad a la que nos hemos lanzado no nos conceda el lujo de destinar a este depósito de tesis rancias y programas ineptos una partida del presupuesto que necesitamos desesperadamente, por ejemplo, para los departamentos de cultura y adoctrinamiento, el bienestar físico y mental de millones de jóvenes ardientes y entusiastas, los ficheros no están siempre al día y carecemos de los ordenadores a los que ustedes están habituados pero estos defectos que, como ve, no tenemos ningún empacho en confesar, los procuramos compensar con el calor y afecto de nuestra acogida, los colegas con quienes convivirá aquí el tiempo que duren sus investigaciones son historiadores venidos de diversos países y horizontes con el objetivo de estudiar y rebatir las sucesivas desviaciones de nuestra infalible doctrina, hemos dispuesto su alojamiento en habitaciones contiguas a la biblioteca y en ellas se les servirá la comida, nuestro deseo es el de que aprovechen al máximo su estancia entre nosotros en una atmósfera de recogimiento propicia a la meditación y el estudio, su procedencia de zonas contaminadas y contacto asiduo con libros y materiales nocivos nos obliga a adoptar, claro está, un conjunto de medidas profilácticas para prevenir el posible contagio, las cartas de recomendación de nuestras agrupaciones hermanas son la mejor garantía de que sabrán comprender y excusar el rigor de la cuarentena, las inevitables molestias de un cordón sanitario benéfico para todos, el infierno de la biblioteca dispone de cafetería y salón de recreo, patio adecuado al peripato y local para ejercicios gimnásticos, no podemos brindarles la exquisitez de los grandes hoteles pero el servicio es puntual y esmerado, un equipo de enfermeras y médicos se mantendrá a su precepto si teme haber contraído la plaga o desea simplemente desintoxicarse de sus venenosas lecturas, una concepción nueva, más lógica y racional de lo que deben ser los estudios eruditos y trabajos universitarios, en las salas de lectura trabará en seguida amistades y se compenetrará con los demás investigadores y becados, aquí formamos como quien dice una gran familia

otra vez el silencio, denso, persistente, compacto mientras acomodado junto al fichero que debe guiarte a la lectura de los textos capciosos, previsoramente retirados de circulación y caídos en un justo y perdurable olvido, observas de soslayo el callado y taciturno enfrascamiento de una docena de autóctonos ocupados al parecer en señalar con un lápiz y registrar en un cuaderno cuantos pasajes de discursos, resoluciones, propuestas y plenos les resultan sospechosos de alteración o novedad tocante al corpus de la doctrina

el señor mayor, la estampa obsesiva del aún joven señor mayor, vestido con su arrugado traje blanco y tocado con el sombrero de paja pese a la glacial temperatura reinante, las corrientes heladas que se filtran por las ventanas desprovistas de burlete, los cristales sucios y semiempañados tras los que cae suavemente la nieve, única imagen que conservas, amarilla, borrosa e incierta después de tantos años

eras él, como te inclinabas a veces a creer, o se trataba de un mero desdoblamiento?

las respuestas del personal de turno al que probablemente hiciste la pregunta no han aclarado tus dudas

había estado realmente allí, en un lugar semejante, durante aquel misterioso viaje al que, en tu entorno familiar, se aludía tan sólo con breves y desaprobadores murmullos?

lo que más te confundía y turbaba era la presencia simultánea en los pupitres de estudio del kirghís de edad indefinible vestido con un pijama listado y el imponente prior del monasterio griego acompañado del fámulo

no te enfrentabas una vez más, como en pasadas visiones, a un caso flagrante de anacronismo?

la primera incursión en los estantes superiores de la biblioteca con ayuda de la barra paralela al suelo en la que se engancha la escala de hierro te ha deparado una casi increíble acumulación de contrariadas sorpresas, los ejemplares que buscas y han motivado tu largo y agotador viaje al frío desde el otro extremo del continente incluyen numerosos fragmentos tachados, páginas arrancadas de cuajo en un santo arrebato de violencia, hojas cuidadosamente despojadas de toda idea molesta mediante la realización oportuna de cortes selectos con tijeras, navajas y guillotinas

borrones y manchas de tinta oscurecen la comprensión de pasajes esenciales, glosas y vituperios de hiena bardaje judehuelo ensucian la nitidez de los márgenes, párrafos de textos ajenos ensalzadores de la línea oficial y sobrehumanas virtudes del Jefe han sido pegados con descaro sobre los apartados y rúbricas más significativos, algunos volúmenes han sido mutilados al punto de resultar ilegibles y el original ha sido reemplazado en otros hoja por hoja con exposiciones doctrinales ortodoxas y comentarios anodinos, caparazones huecos con el título y nombre de autor que figuran en el fichero o rellenos de muy diferente y vulgar contenido, tu decepción es inmensa y, mientras espulgas afanosamente las obras alineadas en los estantes en busca de algún vestigio del pensamiento proscrito, contemplas asombrado a tu vecino, encaramado también a una escala paralela a la tuya con su abrigo de piel y gorro cosaco, absorto en la tarea de desgajar los últimos cuadernillos de un volumen ya destrozado y cambiarlos por otros de igual formato con una desfachatez rayana en cinismo, su empresa falseadora cuenta según adviertes con la condescendencia si no sostén del director de la biblioteca, los ujieres de servicio recogen en una cesta las páginas extirpadas y le tienden obsequiosamente desde abajo las que deben sustituirlas, cómo darle a entender que aquello es un fraude y atenta a tus derechos elementales de investigador?, con muecas y ademanes intentas afear y echarle en cara su desafuero pero el individuo no parece entender siquiera el sentido de tus gestos y, después de desencuadernar y romper los pliegos de un libro comprendido precisamente en tu lista de obras de consulta, te alarga con una beata sonrisa los que acaba de pegar con esmero al lomo interior de su encuadernación

las actas del último cónclave en el que, a pesar de las trabas y coacciones de la mayoría disciplinada y dócil, sumisa por entero al arbitrio del Jefe, unos opositores ya sulfúreos pudieron tomar la palabra han sido suplantadas con la retórica fiambre de un piadoso manual de divulgación!

los investigadores del lugar parecen haber cumplido el grueso de su faena y disimulan su comprometedora inactividad con la ejecución casi ritual de quehaceres minúsculos, repaso concienzudo de los volúmenes sustituidos de los estantes, control minucioso de que el tenor de las obras anunciadas con letras doradas en el lomo de las encuadernaciones de piel o en cartoné no corresponde en caso alguno al del título, verificación de que los libros registrados en el catálogo no inficionan ya con sus ideas corruptoras la sana y apacible atmósfera de trabajo, sus largos abrigos negros y gorros cilíndricos les dan una curiosa apariencia de derviches mientras van y vienen de la ruinosa cafetería con sus tazas de té, acercan las manos entumecidas a las estufas, se aproximan fugazmente a las ventanas de la biblioteca y atisban el paisaje nevado, vigilan con el rabillo del ojo la apresurada redacción del kirghís y las lecturas silenciosas, aisladas del prior del monasterio griego y el señor mayor

(las cosas sucedieron así? el viaje a la patria de sus sueños en lo más crudo de los procesos

había apagado su fe o enfriado su entusiasmo?
cuáles fueron si no las causas de su posterior
distanciamiento y ruptura?)
vestido siempre
(es la única imagen que de él posees)
con su traje blanco arrugado y tocado con el
sombrero de paja, ha abandonado la lectura
indigesta del texto que con infinitas y aguija-
doras denominaciones y apariencias figura en la
totalidad de los salones de la biblioteca y pasea
una mirada llena de desaliento por el melancó-
lico panteón atestado de millares y millares de
ejemplares de aquel libro plúmbeo
los investigadores han despejado su camino al
puesto de observación de la ventana y, con aire
soñador, arrima su rostro aún joven a los cristales
para descubrir la terraza familiar de balaustrada
musgosa y macetones de hortensias, nubes rosadas, veleros blancos, la silueta incongruente de
un trasatlántico cuya proa emerge diáfana entre
los pinos, sol como un globo incendiado, arboleda, jardín y, en primer término, las meridianas
y sillones de mimbre de ostentoso respaldo libres
de sus ocupantes habituales, idénticos no obstante en el recuerdo a los que contemplaba desde el balcón de la fachada posterior de la casa
el termómetro adosado a la pared, en la mesita
de noche llena de medicamentos y utensilios
clínicos, marca la increíble temperatura de cuarenta grados

no les haga caso, dice el Archimandrita indicando con un leve ademán de la mano a los pálidos y enjutos investigadores que cuchichean en la penumbra, turbados por la novedad de la conversación que mantenemos, ellos mismos están condenados a largo plazo y lo saben, por qué si no los retienen aquí en cuarentena, rodeados también de un severo cordón sanitario, sin posibilidad de comunicarse con sus familias?, su arriesgada labor de limpieza en esta sección contaminadora les ha expuesto a contraer la plaga a ojos de las autoridades y son tratados con el mismo rigor que las restantes enfermas, no ha observado usted las precauciones de los ujieres y empleados de la cafetería y su uso obligatorio de guantes y mascarillas?, pese a su servilismo y aires de suficiencia no ignoran que su suerte no es mejor que la nuestra, los gorros y abrigos de piel con los que se cubren les permiten ocultar los accesos de fiebre y temblores, devastación interior, sobrecogedora virulencia de síntomas, se aferran desesperadamente a la idea de que su fidelidad a la persona del Jefe suspenderá la sentencia y podrán sobrevivir de algún modo en este recinto apestado sin advertir la implacable lógica de la máquina que les devora, el dilema de su paulatina extinción en la necrópolis de la biblioteca o la bochornosa exhibición en jaulas antes de ser relajadas al brazo secular y perecer abrasadas, a diferencia de usted y otros simpatizantes de la misma cuerda mi extravagante presencia en el lugar no infundía sospechas, miembro de una agrupación ajena y, según su dictamen, históricamente superada, mi idea de acudir a las fuentes en las que bebieron algunos remotos creyentes de esta irracional y supersticiosa doctrina no entrañaba ningún peligro conforme a sus esquemas, desconocían que, en virtud de situaciones similares, por no decir idénticas, creadas por la transformación de las justas aspiraciones del ser humano en conjuntos de dogmas trabados y herméticos, la relación de nuestros místicos con la Iglesia prefigura la que para desdicha suya conocen hoy los presuntos liquidadores y renegados, una Iglesia concebida como una congregación organizada de fieles y en la que el poder religioso, pese a sus iniciales propósitos igualitarios, se había trocado en una casta superior, aislada del resto de los creyentes, no podía admitir la inclusión de todos los valores espirituales en la conciencia individual como pretendían unos cuantos poetas e iluminados sin negarse a sí misma ni renunciar a la inmunidad y privilegios de su

164

ambiciosa jerarquía sacerdotal, el conflicto entre la vivencia mística de aquéllos y la omnímoda maquinaria eclesiástica debía resolverse así fatalmente mediante un corpus de normas jurídicas destinadas a conducir a los recalcitrantes al acatamiento formal de unos cánones o a declararse en rebeldía frente a la feligresía y su férrea, intangible unidad, como dice el autor de un librillo del que nunca me separo y ha pasado por fortuna inadvertido a la estolidez de nuestros cancerberos, si los vivos fueron objeto de tal ensañamiento cómo debieron de ser tratadas las obras de los muertos, especialmente en una época en la que la destrucción de unos cuantos manuscritos podía aniquilar definitivamente a los testigos de cualquier resistencia a la omnipotencia y orgullo de los jerarcas!, no sabía usted que, como descubrió este tránsfuga de diversas Iglesias cuya obra le cito, el expediente favorito de los ortodoxos o, con mayor exactitud, del núcleo de individuos que acaparan el poder, ha consistido siempre en marcar a cada nuevo perturbador con la etiqueta de alguna herejía o secta previamente derrotadas?, en la época en que vivió el reformador cuyo fulgor poético nos fascina, no era difícil ya, para anatematizar a los místicos que desasosegaban y subvertían, espumar alguna frase imprudente escrita por ellos y hacerla coincidir con las proposiciones delusorias y erróneas incluidas en el Edicto de la Fe entre los delitos que debían ser denunciados al Santo Oficio, una falange inasible de testigos anónimos les acusaba de rechazar las preces y ceremonias religiosas, anegarse en el océano del divino amor y sumirse en la contemplación pasiva e infusa, cómo podían propugnar sin grave peligro de sus vidas el áspero camino de las tinieblas, esa vía recogida y secreta de las almas inflamadas, desnudas?, la sequedad, apretura, asedio pasional, sentimiento angustioso de abandono de los adeptos de la noche oscura y deliquios de la alhama escandalizaban, éramos criaturas condenadas a desaparecer, especie dañina de un mundo en el que nuestro exterminio era un deber sagrado, como esas víboras o ratas viscosas que hoy exponen al pueblo fanático o amedrentado el espectáculo de su mentida ignominia teníamos que acusarnos y acusar a los demás de toda clase de crímenes absurdos e imaginarios, descalificadas con una retahíla de denominaciones heréticas, obligadas a confesar los desvíos y venenos doctrinales con los que los sanos e íntegros corrían el riesgo de contagiarse, debíamos acatar la prohibición de reunirnos con las de nuestra ralea y la clausura de las guaridas en donde celebrábamos los tenebrosos conventículos y propagábamos nuestra plaga

(esa cámara negra de la alhama que todos los sentidos suspendía y en donde se guardaba entero el hincón o amarradero de nuestras ansias) cuando mi fámulo quiso desafiar el Edicto y salió a la calle

el seminarista?, digo

sí, no le conoce usted?

según mis recuerdos, tenía entendido que nunca se separa de mí!

no había perecido abrasado?

el Archimandrita ha fijado un cigarrillo filipino en su boquilla de ámbar, lo enciende sin prisas y exhala una bocanada de humo antes de responder con un leve enronquecimiento en la voz

se confunde usted amigo mío, el hecho que menciona no ha ocurrido todavía, no advierte acaso que estoy hablando con el aún joven señor mayor?

recuerdo de pasos por el largo corredor del piso alto, baldosas blanquinegras en forma de damero, muebles de época, grabados de tema alegórico, estatuilla de la Virgen como una nínfula exangüe y doliente envuelta en un manto morado, retratos de damas provectas y antepasados severos, calor veraniego, zumbido de insectos, probablemente caminas descalzo

estás en el despacho del tío y examinas los libros encuadernados de rojo y oro alineados en los estantes de la librería, manuales de historia, recopilaciones de obras jurídicas, tratados de divulgación médica y científica, obras piadosas, estampa en color de un santo varón cobardemente asesinado por los del otro bando, dueño y señor de aquel aposento solitario, entregado al brujuleo de tu curiosidad precoz, estimulante comezón impulsiva

has abierto una de las puertecillas laterales de ebanistería del mueble escritorio dentro del cual se apilan cajas de cartón con fotografías, recuerdos familiares, fajos de cartas vetustas y descubres pronto una imagen, su imagen, el señor mayor con un traje blanco arrugado y un sombrero de paja que no sabes todavía quién es aunque su figura te atrae y cautiva

has adivinado, pese a tu corta edad, que se trata precisamente del que ha sido proclamado para siempre inexistente, eliminado de la memoria del clan, excluido como un ser fantasmal de las pláticas y evocaciones de sobremesa en la terraza de balaustrada musgosa y macetones de hortensias?, del hombre sin faz cuyos signos han sido borrados, esfumado en un sueño remoto, desdibujado y efímero?, qué vínculo secreto os une, no obstante la hostilidad del entorno, capaz de convocarte día tras día a su contemplación silenciosa aprovechando el momento en que los adultos leen, conversan o rezan el Santo Rosario en las meridianas y sillones de ostentoso respaldo distribuidos en la terraza y jardín?, es el mismo que protagonizará luego tu aproximación biográfica trunca, compuesta con retazos dispersos, como un puzzle de piezas perdidas e imposibles de recobrar?, la saña rememorada por el Archimandrita tocante a la destrucción de documentos y pruebas molestos no hallaba una confirmación fulgurante en los anales de tu propia familia?

el señor mayor, la imagen única, ya tenue y casi desvanecida del señor mayor con su traje blanco arrugado y sombrero de paja que te fue brusca y definitivamente arrancada de las manos cuando, absorto del todo en examinarla, no advertiste los pasos del tío en el pasillo ni su entrada sigilosa en el cuarto, sorprendido en flagrante delito de una ocupación vergonzosa y prohibida, tan fea y abominable como lo sería años más tarde la funesta propensión a masturbarte sin tener en cuenta la aflicción de la Virgen y el temor a las penas eternas

vaya con el niño!, quién te ha dado permiso de meter la nariz en mis papeles y tocar lo que no te interesa?

un día el prisionero, al recibir la cesta de comida supuestamente enviada por sus hermanos Descalzos, ha creído vislumbrar en la hoja de papel que envuelve las viandas la presencia sutil de unos signos manuscritos velados

asegurándose de que nadie le espía, ha arrimado la hoja a la saetera tras caldearla con una vela y, como un espejismo de agua y palmeras en medio de la adustez del desierto, ha visto transparentarse unos versos, cuidadosamente trazados con jugo de granada, por qué te quedas pegado a la tierra como una planta verde?, no son tus movimientos la clave de las gracias?, en el otro extremo del pliego el calor de la llama convoca también, como un conjuro, otra frase inflamada de Mawlana, nuestra embriaguez no necesita vino ni nuestra asamblea rabeles ni arpas, sin orquesta ni flauta, copero ni efebo, nos embriagamos y excitamos, criaturas borrachas!, el mensaje lleva la firma de Ben Sida y el recluso en el convento de los Calzados utiliza a su vez el papel enviado por su colega para fijar también por escrito, con zumo de fruta, algu-

nos versos del Cántico que compone mental-
mente y recita de memoria destinados al joven
y audaz profesor de árabe

desde entonces, a espaldas de los cancerberos, la
correspondencia así establecida se enriquece con
citas de Ibn al Farid cada vez más exaltadas y
atrevidas, bebimos en recuerdo del Amado un
vino que nos embriagó antes de la creación de la
viña!, mi espíritu se extravió en él de tal suerte
que, sin penetración de un cuerpo en otro, se
fundieron los dos íntimamente!, la emoción,
ligada al secreto de aquel intercambio amoroso
de mensajes, alivia el encierro cruel del poeta, le
ayuda a entrever el verbo delirante capaz de traducir, sin traicionarla, su inexpresable experiencia, el vino y no viña, tengo a Adán por padre, viña y no vino, su madre es mi madre le ha
arrebatado a los éxtasis de Ibn al Farid y sus en-
cendidos dislates, las colaciones semanales revi-
sadas con descuido por los refitoleros de la Orden
le elevan al delirio vertiginoso de un alquimista
del lenguaje, cómo manifestar estados o trances
extáticos sin recurrir a una lengua sibilina y
ambigua, de infinitas posibilidades significativas?, han hecho distingos pero todo es uno, nuestros cuerpos viñas, nuestras almas vino!

mas el jugo de la granada con el que el especia-
lista en mística comparada ha pergeñado el poema resulta en esta ocasión demasiado perceptible
y el prior del monasterio descubre escandalizado

las conexiones ocultas del preso con los nefandos alumbrados islámicos, qué acepción atribuir a los versos copiados por Ben Sida, toma puro este vino o mézclalo si no con la saliva del Amado, cualquier otra mixtura sería profanarlo?, las estaciones de la noche oscura no llevan acaso a los goces y derretimientos por los que los adeptos del suave cauterio alimentan las llamas del quemadero entre los rugidos y vítores del estadio?

decorado fantasmal de la biblioteca, necrópolis inmensa de libros condenados a la aniquilación y el olvido, salas de lectura sumidas en la tiniebla, ventanas de luz tacaña abiertas a paisajes de nieve, estufas de calor insuficiente, corredores sombríos, cafetería abandonada por sus últimos y suspicaces empleados, investigadores de largos abrigos con solapas alzadas y gorros encasquetados hasta las cejas, temblorosos, pálidos, demacrados, sujetos a bruscos y violentos accesos de fiebre, contaminados con el material a cuyo contacto han permanecido expuestos en su abnegada y heroica labor de limpieza, manos cubiertas con mitones u ocultas en las faltriqueras, recelosos unos de otros y como al acecho recíproco de los síntomas agoreros del mal, pasos cada vez más vacilantes del entelerido que sospechosamente rehúsa afeitarse, vómitos y diarreas contritos del viejo decano de la Facultad, eritemas y manchas subcutáneas de un premio nacional laureado años atrás por su elocuente denuncia de los judíos que difundían la plaga, ansiosos aún de acudir al director y personal de servicio a delatar la dolencia de sus colegas en un último intento de salvación egoísta y desesperado, sin caer siquiera en la cuenta de que quienes de ordinario les atienden y celan parecen haberse esfumado después de desconectar los timbres de llamada y reforzar los cerrojos exteriores de las puertas, atrapados ellos también sin remedio, como los visitantes extranjeros, en el interior de aquella maldita nasa

> el kirghís de edad indefinible y pijama listado que reparte papelillos con la inscripción en cuatro alfabetos distintos de las palabras becquereles, milirads, isótopos radiactivos, yodo 131, estroncio, rutenio, celsio
> la Archimandrita maquillada, opulenta, capa pluvial con orillos de pluma, mitra con airones de coracero, báculo convertido en cetro
> la Seminarista de lengua procaz y estrambóticas ligas rosadas

todos los asiduos a la biblioteca compuesta de telones de cartón y estantes de libros falsos reducidos a personajes miniaturizados de la pantalla o escenario contemplados desde la cabecera de un enfermo

yo o el señor mayor?

su inclusión entre los precitos, dice, era fruto de la casualidad, buscaban un lugar decoroso en donde cobijarle y ayudarle a cumplir su trabajo en un noble y bienintencionado esfuerzo de compensar los malhadados efectos de la catástrofe con una minuciosa y paciente labor de rescate de la memoria y cultura del pueblo súbitamente barrido, el accidente, como usted sabe, extendió en unas horas su casquete de nubes radiactivas sobre la totalidad del territorio, por fortuna escasamente poblado, en el que vivían y nomadeaban sus paisanos, no fue mera fatalidad sino error humano y, sobre todo, producto de la imprevisión y descuido como estableció sin lugar a dudas la comisión investigadora de los hechos al enumerar la lista de infracciones al reglamento y falta de disciplina patriótica de quienes fueron injustamente excluidos de la organización y sujetos a la jurisdicción de tribunales especiales, las repercusiones mundiales de la tragedia en desdoro de la fama y buen nombre de nuestro país nos obligaron no sólo a la adopción de medidas severísimas para impedir la contaminación de otras áreas sino también a crear comisiones humanitarias para resolver casos particularmente dramáticos como el del superviviente casual al que usted, en sus ofuscaciones y delirios verbales, se ha referido con frecuencia, ese individuo de edad indefinible y pijama listado, acomodado entre sus pares con el asesoramiento y protección oficiales a fin de que emprenda la inestimable recopilación del idioma, pasado, leyendas, costumbres e historia de la comunidad extinguida, ningún sitio mejor que la biblioteca, con todos los recursos de la ciencia a su alcance, podía facilitar su solitaria labor en una atmósfera estimulante de simpatía, cordialidad y comprensión habla, habla aún, inclinado hasta él con sus gafas sin montura, de cristal nítido y a veces centelleante?

(tiene una jeringuilla entre las manos enguantadas e introduce poco a poco en ella el contenido rojizo de un frasco)

ahora que mi colaborador se ha ausentado y nadie puede escucharnos me expresaré con franqueza, el kirghís apresado con los demás en la biblioteca, testigo de la tragedia acaecida a sus hermanos de la taiga, ha resuelto ser desleal con los que patrocinan su tarea cumpliendo con ellos una sutil y sigilosa venganza

él: tengo fiebre?

la habitual, unas décimas, no se mueva usted

él: su voz me llega apenas

perdón, le he hecho daño?

(lumbre divina, iluminación interior, luz in-
creada, mosto espiritual, ardor de vino en las
venas, riego, embriaguez extática)

en el trance de rescatar la herencia de sus muertos en beneficio de los causantes del exterminio,
ha preferido forjar a partir del léxico una colosal
impostura asignando a los vocablos que reseña y
acontecimientos que rubrica un significado arbi-
trario, como veinte siglos atrás, en circunstancias
muy similares de agonía y soledad cultural, otro
falsificador genial ideó un cotejo gratuito entre
sus signos jeroglíficos y los textos griego y de-
mótico de una piedra hoy célebre con el conseguido propósito de embaucar a las gentes, no ha
visto usted, no ve usted acaso cómo parece di-
vertirse y reír en silencio mientras inventa términos y denominaciones caprichosos para escarnio y confusión de los especialistas?, el recuerdo
de cuanto le fue arrebatado en aquel pavoroso accidente le pertenece y no quiere compartir-
lo con nadie, mire cómo en medio de los investigadores macilentos y enfermos, ideológicamente
irradiados, rejuvenece y se esponja con una suerte de dicha!, el fraude histórico que prepara con
minuciosidad y paciencia de hormiga le ayuda a
sobrevivir en un mundo sin brújula ni alicientes,
sólo la carcajada mordaz, incomprensible a quienes le rodean y juzgan chiflado, le reconforta en
su empresa, nadie está al tanto de la verdad de su

burlesco legado y le ruego que sea discreto, la menor alusión o referencia suyas a mis asistentes y enfermeras en el curso de sus ciclos de fiebre y visiones oníricas podría volverse contra mí y contra él, no traicione la confianza que temerariamente deposito en usted, los tiempos son recios y el mejor medio de subsistir es sellar oportunamente los labios

corte transversal de la biblioteca entrevista como
una pecera, poso milenario de manuscritos reducidos a una suerte de limo en el que arraigan vis-
tosas especies acuáticas, sargazos, ovas, algas, me-
dusas de hirsuta cabellera en forma de serpentina,
corrientes de oxígeno alimentadas por tubos,
iluminación interior oculta con arborescencias de
coral o madrépora, emisión irisada de burbujas
perfectas, bandadas de pececillos transparentes y
aletas caudales de inquietante fulgor
los investigadores autóctonos siguen allí con
sus abrigos y gorros, desamparados, escuálidos,
céreos, mucilaginosos, manos y narices pegados
al vidrio, bocas descarnadas por el síndrome
exhalan desesperadamente globulillos de aire,
levitones negros les dan la apariencia grotesca
de aves polares, con falanges amarillas y frági-
les tientan en vano la solidez del cristal que les
aprisiona como si quisieran pedir auxilio o
atraer la conmiseración de los viandantes
(han sido irradiados, sufrido la devastación interior de la plaga, agonizan asfixiados en aquella fosforescente prisión marítima?)

avanzas, avanzo, poseído de una sutil impresión de ingravidez, de flotar suavemente como los pececillos en el acuario de helechos y algas, emanaciones de vapor y manchas de humedad de muros verdosos y rezumantes indican que me aproximo a los calidarios, la sucesión de salas abovedadas en donde las devotas de la alhama transpiran ceñidas en sus mortajas, luz cenital, atmósfera densa y brumosa, siluetas y rostros desdibujados, togadas resollantes, galanes que surgen de la niebla con el patente rigor de sus prendas, vestales elusivas con braguitas de nailon, me tiendo bocabajo en el estado de fina receptividad que precede a las abluciones rituales e inmersión en aguas de la pecina, momentos de somnolencia feraz e intelección sensitiva, preludio o antesala del dejamiento, ascesis gradual a los abismos de deleites del santo, noche interior de apretura y tinieblas, cámara negra de nuestros riegos y derretimientos extáticos

no se interrumpa, dice, el escribano toma nota de todo

(quién habla?, quieren sonsacarle con drogas y engaños lo que no han conseguido con amenazas y golpes?, es todavía el prior de los Calzados o se trata del propio don Blas?)

la música, la música del piano que llega de abajo, el berberisco salón con lámparas de vidrio translúcido y pie borneado de bronce en el que la Doña desgrana melancólicamente sus notas restablecida en la posesión de su peluca de amazona, el ígneo esplendor de la cabellera

(es la melodía que tocaba ella cuando viuda, solitaria, apestada se encerraba en el salón de los bajos de casa en busca de una grata y protectora zona de sombra, huyendo de la presencia recriminatoria de la familia?)

no lo sabes ni puedes saberlo, absorto, todo oídos en la ejecución musical de una pieza cuya partitura conoces de memoria, piano misteriosamente transportado a la abolida querencia de la Doña, gran salón de asientos laterales de gastado hule rojo, farolas Segundo Imperio, frescos murales de paisajes orientales, colinas verdes, jinetes, siluetas de albornoces y haiques, pequeñas ermitas con cúpulas blancas, algún espigado alminar de mezquita, una medialuna nevada tendido aún bocabajo en las cálidas losas de mármol, fascinado por la insinuación paulatina de la tierna, impregnadora melodía, está sola, es su escondrijo y sé que no debo interrumpirla, sólo aguzar el oído y acompañarla interiormente mientras se evade de la asfixiante estrechez del destino, deshonor de una unión no bendita por Dios y fulminada por Su santa ira, oprobio de un linaje mancillado para siempre por su vinculación a un hereje, estigma de carácter permanente cuyo sambenito colgará de las iglesias para advertencia y escándalo de las generaciones futuras dicha, bienestar, beatitud, inmediatez fusional a una música que escampa las nubes que la ocultan, su joven silueta de viuda aferrada al piano consuelo de sus desgracias, reconstrucción luminosa de la memoria en el añorado salón de la Doña, improvisado auditorio en el que asiduas, jayanes, novicias escuchan embelesados la Sonata, embebido de sudor, temblando de fiebre o emoción, con la frente apoyada en la losa de mármol, súbitamente ansioso de levantarte y abandonar la bóveda en la que yaces como un cadáver envuelto en los pliegues de su sudario, es el inicio de la danza sufí, remolino de almas sumisas a la universal gravitación solar, incendio místico de la sama?, los cantores modulan sus voces diáfanas, los derviches giran como peonzas, su ronda beoda accede a la gracia de la levedad!, salmodian acaso los versos de Ibn al Farid y Mawlana que Ben Sida ha introducido en tu celda escritos con jugo de granada? y de pronto

punzadas de dolor lancinante, flautas desentonadas, violines rotos, agrios y desacordes sonidos, cuerdas de instrumentos chirriantes, pasos atropellados, tapa de piano cerrada, música desfallecida y extinta

doctor, le juro que es algo insoportable!

han oído tu exclamación, más bien el aullido en medio de la confusión de movimientos alocados, gritos histéricos, huida de aterrorizados insectos, voces agudas de ha llegado, ha llegado, nos ha

tocado el turno, ha derretido los sesos y fundamentos del ama, nada podemos contra ella ni su
sombra maligna, su mirada atraviesa e irradia
una onda mortífera, le bastan unos segundos
para convertirnos en piltrafas?
recaída en el sueño, irrealidad fungosa, ansiedad
contenida, aprensión del encuentro que previsi-
blemente te aguarda, infructuosas tentativas
de dejar el lecho, salir de la habitación, huir de
este falso hospital con todas las trazas y elementos
de cárcel siquiátrica, sufrimiento sordo, corro-
sión interior, sigilosa inquietud, vueltas y más vueltas en la cama, agitación incontenible, presenti-
miento agorero de la cercanía e inevitabilidad del
peligro, ademanes incontrolados de miedo, inmi-
nencia de la aparición que más temes imantada
por la violencia de tu propio espanto, lo ves, lo ves
ya, el adefesio de las dos sílabas sembrador de
cizaña, los zapatones en el último peldaño de la
escalera, piernas zancudas e interminables, gran
túnica suelta sobre sus extremidades filiformes,
bolsa o refajo con docenas de muñecas, greñas trenzadas y sombrías, vasto sombrero tutelar cuyas
alas parecen convocar el vuelo de una bandada de
cuervos, pillado también como una falena en el
círculo de una intensa luz veraniega mientras,
después de arrojar sus figurillas al suelo y asistir
a la agonía de las víctimas con soberana impasi-
bilidad, afila las pupilas emboscadas en la negrura de los velos, acendra la incandescencia de

sus brasas, extiende durante interminables segundos su índice brujo y dirige hacia mí seca-
mente el cerco, las aguas, caballería de Aminadab

había perecido ahogado, sumido en la espiral del remolino, atraído al vórtice del abismo por la fuerza torrencial de las aguas?

una neta sensación de asfixia y la conciencia de haber luchado en vano contra la irresistible succión que le tragaba abonaban la tesis de la caída, sorbido por la vorágine evacuatoria de las acometidas camino de la red de alcantarillado alguien, arriba, había accionado simplemente una palanca, impulsando la tromba de agua y su descenso a las entrañas envuelto en las volutas del torbellino?

como esas cucarachas, moscas u hormigas aposentadas en la taza del excusado que examinamos brevemente, con oscura satisfacción, antes de desencadenar el mecanismo exterminador de su existencia parasitaria, había sido contemplado a su vez por el omnímodo e ignoto ejecutor de otra sentencia igualmente azarosa e inapelable?

quién, cómo, por qué?

ninguna respuesta o explicación, sólo el recuerdo de su sofoco, inmersión, busca desesperada de aire

V

otra vez la terraza marítima de balaustre musgoso y macetones de hortensias, el sereno, caluroso atardecer sin el alivio ocasional de la brisa forman semicírculo sentados en media docena de sillones de mimbre de ostentoso respaldo, junto al vetusto cenador adornado de viña silvestre, a la sombra afiligranada de las acacias (de espaldas al mar puesto que les divisas de frente, acomodados con rigidez en sus asientos, como en un escenario de teatro)

mujer con boina roja de faz angulosa y seca, rubia gruesa y acicalada, tío con gafas de motorista como anteojeras de una caballería, tía enlutada y severa, dos damas refugiadas del vecindario difíciles de identificar

aureolados por el esplendor de la inminente puesta de sol, la apoteosis de tonos rosa pastel en los lejos del cuadro que representan, vestidos con la elegancia otoñal que exige la escena, actores y comparsas de una pieza exhaustivamente recitada, absortos en la mímica y desempeño de su papel, referencias obligadas al Alzamiento, cruzada de salvación nacional, valores de la raza, gestas y rasgos de heroísmo, sangre fecunda de mártires, patria al fin recobrada, evocación de crímenes y abominaciones del adversario, turbas, incendios, checas, sacerdotes y monjas cobardemente asesinados, voz exaltada de doña Urraca, viuda de protomártir y madrina de guerra, anécdotas conmovedoras de la bravura de nuestros áscaris, puros milagros de la fe, estampas de virtud y fiereza, ejemplos de apoyo celestial a la Causa, alusiones compasivas a ella, soltera y con un hijo, víctima de su propia inmadurez e inconsciencia, aislada del mundo después de su desgracia, marcada para siempre con el estigma de una unión condenada, impío matrimonio civil, amancebamiento a la republicana, mancha indeleble en el buen nombre de la familia, anonadada por la contundencia del choque, lógico y justo final de aquel enemigo declarado de Dios y de la patria, fugitiva de sí y de los suyos, privada del uso de la razón, interiormente devastada por el torrente arramblador de sus quimeras y esperanzas, criatura sin defensa ni medios acogida a la caridad de los deudos, incapaz de velar por el niño, dulce, misericordiosamente enajenada, sólo la música, el piano, las notas melancólicas del piano, la ejecución diaria de temas obsesivos, feliz a su manera durante la interpretación de la Sonata, ha variado de repertorio como si su necesidad de volver a él no le acuciara como otras tardes, pobrecilla, la oís?, es una marcha más viva, solíamos tocarla a dúo en fiestas y recitales benéficos, era entonces piadosa y alegre, quién iba a adivinar lo que el destino le guardaba?, palabras, jirones de frases que llegan a sus oídos, a los del niño que juega en la hierba frente al escenario iluminado por un sol orondo y bermejo, el semicírculo de sillones de mimbre de aconchado respaldo, la mesa con bandeja de refrescos, el consabido ritual de abaniqueos, gestos de agobio, suspiros de nostalgia, perenne atardecer cuya ficción colorea de burlona rubicundez el decorado yermo de la terraza

el recuerdo de un recuerdo de un recuerdo, es todavía un recuerdo?

desde el balcón, agarrado a la barandilla del balcón de la fachada delantera de la casa, atisba el ajetreo de los adultos con cajas de madera y cartón atestadas de obras malsanas, los nuestros acaban de entrar en el pueblo, boinas camisas correajes botas, encrespada marea de brazos en alto, himnos, discursos, triple, enronquecida invocación al salvador carismático, sesión pública de purificación y exorcismo, lividez y olor acre de incendio, manuscritos corruptos arrojados al fuego, periodicuchos con figuras indecentes y extrañas, diablo vestido de papel, caricaturas soeces del Rey y del Papa, escritos contaminadores de judíos marxistas francmasones ateos revisados pro forma sin la culpable indulgencia del cura y el barbero, todo debe desaparecer sin dejar huella, ideas nocivas, utopías perversas, promesas de embaucadora apariencia destinadas a atrapar y emponzoñar a las almas incautas, actúen con santa intransigencia sin perdonar ejemplar alguno, aun aquellos libros a primera vista anodinos pueden contener en su seno propuestas capciosas hábilmente disfrazadas, debemos limpiar nuestro suelo de toda suciedad e impureza, Dios está con nosotros y aprueba complacido esta robusta afirmación de fe patriótica y cristiana

páginas y más páginas de letra menuda ennegrecidas, entorchadas, convulsas, como las almas de sus autores en el infierno, dice don Blas, barridas por el celo fervoroso de los guardianes de la ortodoxia en medio de exclamaciones, rugidos, vítores, salvas, deogratias, el pueblo entero volcado a la calle para asistir a la ceremonia de expiación, al desfile de los jerarcas de la Orden, Padres del Paño, Visitador general al frente de los Calzados, ofrendas y votos a la Virgen, la nínfula exangüe y doliente paseada en andas, toques de corneta, ritmo de tambores, morados resurrectos, lluvia de rosas, avance lento, marcha cadenciosa

desde el balcón, con la cabeza apoyada en la rejilla del balcón, contemplabas, contemplas, dispersas como vilanos por el viento, las pavesas y cenizas de la biblioteca del ya fusilado señor mayor

visité una casa en la que debía cumplir una obra
de caridad, la entrada era fúnebre, sucia y llena de
telarañas, el pavimento estaba desenladrillado y
hendido, tres sillas rotas y una mala cama com-
ponían la totalidad del mobiliario de aquel tabu-
co habitado por una mujer demacrada y llorosa,
abrumada con el peso de su desventura

limosna, socorro, administración de uno de los
sacramentos de nuestra Santa Madre Iglesia?

no, la carta de un condenado a muerte por nuestros tribunales de excepción, unas líneas de adiós
escritas en capilla por el reo después de conocer su
sentencia

el marido?

padre de su hijo y culpable de sus desdichas,
unión no bendita por Dios

ella?

sí, abrazada a la criatura sin decir palabra mientras yo le tendía el mensaje del hombre que
había destrozado su vida con ideas ilusorias e
impías, del que introdujo en aquella casa hon-
rada el demonio vestido de papel

rojo?

peor que esto!, aun sus propios congéneres juzgaban sus doctrinas subversivas y heréticas y lo
excluyeron de su organización, cuando llega-
mos vivía ocultándose de ellos y sus servicios secretos, escondido en un sótano húmedo para
salvar la piel

se arrepintió?

no, tenía el corazón empedernido por el orgullo y no quiso aceptar los auxilios espirituales,
en vano procuré ablandar aquel pedazo endu-
recido de lava enumerando las desgracias que
su incredulidad y empecinamiento en el mal
le habían acarreado, Dios había cegado sus
ojos y tapado sus oídos, se negó a confesarse
pretendiendo que estaba en paz consigo mismo y sólo me pidió el favor de que transmi-
tiera una carta a la desamparada madre del
huérfano

se informó de su contenido?

sí, la leí animado por la ardiente esperanza de
que abriría en ella su alma, admitiría el callejón
sin salida al que le había conducido inexorable-
mente su credo, su rebeldía a toda forma natural de gobierno y autoridad

no fue así?

ni por éstas!, su testamento la exhortaba a soportar la prueba con estoicismo y rehacer su
vida mas no invocaba siquiera la infinita misericordia de Dios!

cómo reaccionó ella?

estrechaba entre sus brazos al niño sin proferir un lamento, sus ojos estaban secos, miraba hacia mí sin verme, como si no comprendiera lo que ocurría ni el tenor de la misiva, privada de pronto, para siempre y sin remedio, de la facultad de razonar

(la escena era imaginaria o real?, lo del cuadro fúnebre, sucio y lleno de telarañas, escenificado en el tablado a la luz cruda y violenta de los focos por don Blas y la mujer muda y frágil con un muñeco de celuloide en el regazo, no formaba parte de una representación de *El demonio vestido de papel* en el colegio de los Padres a la que asistió años más tarde?)

las damas sentadas en el patio de butacas permanecían absortas en la contemplación del edificante espectáculo, aprobaban con gestos enfáticos y cabezadas enérgicas las intervenciones del capellán, se compadecían de los infortunios de la mujer abrazada al muñeco, intercambiaban socorridos comentarios sobre el tiempo e insidiosa radiactividad del ámbito, la plaga mortal que diezmaba las alhamas y sus devotas de la noche oscura, esas criaturas exóticas exhibidas en jaulas con disfraces de pájaros antes de ser conducidas al quemadero en medio de los clamores y vítores del estadio, cuchicheaban y apuntaban con el dedo a la del sombrero de penachos de pluma y guantes largos con el cuello y esternón cubiertos de un mantón de seda, ojerosa, macilenta, chupada, sacudida de temblores de fiebre, que vomitaba disimuladamente en el pañuelo y ofrecía de modo agorero todos los síntomas de la enfermedad había salido con el propósito de respirar, tomar unas bocanadas de aire nocturno, averiguar el destino y vicisitudes de las demás familias decentes, cuántas sobrevivían ocultas o habían logrado asilarse en el interior de alguna embajada, las turbas prendían fuego a las iglesias, santas imágenes eran destrozadas, cadáveres de sacerdotes fusilados yacían en las aceras, la atmósfera estaba llena de humo, el aire se había vuelto irrespirable, escondíamos en casa a dos monjitas de clausura y llevaba en el bolso, apretándola contra el pecho, una cajita de obleas consagradas que un alma piadosa había logrado salvar del tabernáculo antes de que la chusma irrumpiera en la parroquia, arrojara la santa custodia al suelo y la pisoteara con saña, el barrio ofrecía un aspecto hostil y fantasmagórico, un olor áspero, pegajoso, tenaz a pesticida o carne quemada flotaba alrededor de capillas y templos, los milicianos habían establecido puestos de control y sometían a la población decorosa a un rudo y humillante cacheo, el descubrimiento de un devocionario o misal, de un rosario o

estampa religiosa podía ser causa de una condena brutal e inapelable, yo avanzaba con precaución, disimulada en la sombra y temerosa de ser
detectada, estrechando en mi pecho, mezquina
de mí, la cajita de Sagradas Formas cuyo hallazgo habría azuzado el furor de aquella horda
desaforada, las personas pudientes y dignas parecían haberse esfumado sustituidas por muje-
rucas e individuos de facha patibularia, eh, señora, adónde va con tanto misterio y prisa?, no
llevará usté por casualidad en el bolso un divino
copón de oro repleto de hostias consagradas?, se
reían de mí a carcajadas con ademanes crasos y
gestos groseros, ridiculizaban la exquisitez
señorial de mi atuendo, traje de organdí de color
lila con vuelos de encaje y grandes lazos, collares
de abalorios, medallas y camafeos, medias blancas de seda, zapatos de tacón alto abrochados en
el empeine con joyas y diamantes falsos, me
escurría entre ellos con esquivez furtiva, mis
movimientos eran los de una sonámbula, pese a
la esmerada protección del maquillaje tenía el
rostro perlado de sudor y me lo enjugaba con un
pañuelo, mi figura se destacaba en el fondo lívi-
do de la bruma crepuscular y patética, una anti-
cuada señora de derechas inflamada por la inmediatez a Aquel que resguardaba en mi pecho,
devota del enardecimiento y fusión de las almas
sensibles y puras, afán de trascendencia y unión,
misterios de gozo y dolor, extática travesía fe-

cunda, incapaz de reaccionar frente a la gravedad del peligro que se cernía, ronda callejera de vecinos al acecho de las apestadas, redada general de sospechosas, clausura inmediata de cámaras negras y antros de dicha, obligación de presentarnos a las autoridades sanitarias para ser sometidas a tests sanguíneos y descubrir a las portadoras de virus, conducción de las enfermas en carretas y jaulas al estadio en donde debían perecer abrasadas, había logrado sobornar al director de un hospital para que me extendiera un certificado de sangre limpia, libre de toda mala mezcla o mancha, ejecutoria de cristiana vieja ranciosa por los cuatro costados de mi linaje, pero el engaño había sido desvelado por los vicarios del Inquisidor General y los controladores procedían a verificaciones in situ mediante ordenadores directamente conectados al archivo de datos del banco de sangre, mi costosa garantía resultaba ilusoria y me hallaba expuesta a ser denunciada por los malsines que rastreaban el barrio, era judía?, era alumbrada?, pertenecía al gremio de las anegadas en el divino amor?, de las devotas del rayo de tinieblas y abismos de deleite del santo?, los transeúntes con quienes me cruzaba se alejaban velozmente con el odio y temor pintado en las caras, eh, tú, la del plumero, por qué caminas a oscuras rozando las paredes?, acércate a la luz a que te veamos!, has pasado los análisis serológicos que

ordena la ley?, muéstranos, si lo tienes, el certificado!, me había rodeado un grupo de cuatro,
con uniforme y botas del Partido, llevaban antorchas en las manos y escudriñaban los síntomas delatores del mal en mi cuello, rostro y
extremidades

ellos: por qué te cubres el escote y garganta con
tanto lazo y puntilla?, nos permites tomarte la
fiebre y palpar la ingle y axilas?

yo: mi salud es absolutamente perfecta!, tengo
un impreso con el sello y firma del médico del
hospital, tengo, tengo aún

ellos: si tantas pruebas de limpieza tienes, por
qué intentabas escabullirte y tiemblas como
azogada?

yo: llevaba un socorro a casa de una amiga, una
obra de caridad a una persona desvalida, vieja y
necesitada

ellos: apestada como tú!

yo: les juro que

ellos: tienes el certificado de seronegatividad o
no lo tienes?

yo: con el apremio de salir me lo he dejado en
casa pero les prometo que

ellos: no sabes que su presentación es obligato-
ria a todo requerimiento de las autoridades?

yo: lo sé, lo sé, se me olvidó, permítanme ir a
casa e inmediatamente se lo traigo

ellos: podríamos hacerte ahora mismo el test en
nuestra unidad móvil, pero mis camaradas y yo

andamos de buen humor y te autorizaremos a seguir a casa de tu amiga si te muestras simpática con nosotros

yo: qué quieren ustedes de mí?

ellos: el dinero que guardas en el bolso, mañana es fiesta y un poco de fiesta con mujeres de verdad no nos vendría mal, justo para alternar y beber unas copas, un favor que te hacemos, guapa!

yo: cojan ustedes lo que quieran!

ellos: quítate el susto, nena, y en adelante ve con más tiento, dos manzanas de casas después hay otra patrulla y corres el riesgo de pillarles de mala uva, así que si quieres seguir un buen consejo lo mejor que pués hacer es poner tierra por medio y salir arreando

yo: gracias, muchísimas gracias!

se repartían los fajos de billetes a la luz de las antorchas y caminé de nuevo sin rumbo, alucinada por las escenas de pillaje e incendio, carteles acusadores, locales cerrados, consignas vomitadas a través de los altavoces por la Asociación de Vecinos Honrados, una multitud excitada parecía correr detrás de mí, órdenes voces ladridos arreciaban, los chivatos habían cumplido tal vez su misión y la jauría acudía a cobrar su víctima por las travesías muertas del barrio, mis perseguidores, según pude advertir, usaban guantes de goma y mascarillas para prevenirse del contagio, yo huía de ellos contra la furia desatada del viento que agitaba el plumaje y velos de mi sombrero y sentía cada vez más cerca sus gritos, exclamaciones, jadeos, qué iban a hacer conmigo?, enjaularme?, pasearme por las calles como un trofeo?, aniquilarme de una vez con una ráfaga de sus pesticidas?, apriscarme en el estadio con las demás irradiadas?, rostros herméticos, oxidados por la salina corrosividad del aire se sucedían a mi paso como en un travelling interminable, todo contribuía a obstaculizar la desigual carrera, el talón agudo de mis zapatos se torcía, había perdido el sentido de orientación y no sabía adónde me llevaban mis pasos

(las damas agrupadas en el semicírculo de meridianas y sillones de mimbre de ostentoso respaldo guardan un grave y atento silencio, las hojas de las hortensias se mantienen en engañosa quietud, ninguna avecilla pía en la copa de las acacias)

asida a mi bolso, con la cajita de Sagradas Formas, conseguí refugiarme en casa de una familia católica en donde un sacerdote fugitivo de la horda nos administró a todas la comunión aislado del mundo, dentro de una burbuja de plástico, fisgaba la pulcra habitación de aquel hospital carcelario con sus organigramas e instrumental médico, la enfermera de manos enfundadas en guantes, la mesilla de ruedas con inyectables y frascos de suero, quería dirigirme al personal pero la membrana protectora de sus sistemas inmunológicos ahogaba el sonido de mis palabras, movía los labios sin emitir sonido alguno, procuraba mantener abiertos los ojos y contemplaba el jardín miniaturizado en la pantalla del televisor, terraza abalaustrada con vistas al mar y macetones de hortensias, sillones de mimbre de aconchado respaldo, nubecillas rosadas del atardecer, acacias inmóviles, aire aparentemente estancado, abaniqueos, suspiros, frases apenas susurradas, un grupo de nobles damas absortas en incesante e incomprensible plática, probable reconstrucción minuciosa de aventuras y lances, momentos de dicha y fulgor expuestos con ese afán de esmero y perfección que dicta el exilio, la fidelidad escrupulosa a los ritos del mundo extinguido, agujas del reló detenidas en una fecha infausta hablaban de la Cruzada salvadora, penalidades, martirios, recientes comunicados de victoria, avance inexorable de los suyos, tropelías y crímenes del populacho?, de los estragos de la cruel visita del pajarraco al templo de amor de la Doña?

escuchaban el piano, las notas melódicas del piano, la Sonata interpretada por ella, apagada, remota, casi inaudible tras la membrana protectora de la burbuja?

tocaba, tocaba expresamente para mí?

quiero oírla, suéltenme de una vez!

(el grito había muerto en mi garganta o habían extremado su rigor hasta fingir ignorarlo?)

la veía, no obstante la veía, en su fiesta de sonidos y luces, delicadeza de imágenes luminosas y acústicas, subía hacia ella y el brillo multiforme y centelleo de los blancos ofuscaba mi vista a cada nueva etapa de la ascensión, una virtud informante esclarecía y acendraba sus rasgos con la mayor intensidad del resplandor de las esferas circulares sucesivas

nocturno viaje del profeta?, secreta escala del santo?, puente irreal, refulgente y diáfano?

su rostro era de llama viva

había procurado el autor del Cántico disfrazar su inflamación, éxtasis y arrebatos con un cendal teológico y comentarios apaciguadores y mansos destinados a eludir el anatema del Santo Oficio y encarnizamiento obtuso de los Calzados?, o trataba quizá de adensar y profundizar al extremo el enigma de sus versos ciñéndolos en un halo de ambigüedad y misterio imposible de traspasar?, qué correlación trazar al efecto entre en la interior bodega de mi Amado bebí y las glosas que en vez de aclarar su sentido conforme a una interpretación ortodoxa lo envuelven en una compleja red hermenéutica redundante y contradictoria?, el toque de centella, adobado vino, emisiones de bálsamo divino explicados por el reformador, no remiten acaso a un universo de irremediable imprecisión de lenguaje en el que cada vocablo asume una aleatoria pluralidad de acepciones? Ben Sida lleva consigo el códice del *Elogio del vino* y apunta con el dedo al sibilino verso de Ibn al Farid diversamente parafraseado por sus expositores, uno dice que el vino cifraría no hay más

Dios que Dios y la saliva Mohamed profeta de Dios, otro que si mezclas la existencia verdadera (vino) con formas de cosas perecederas, no debes apartarte de Quien amas pues su savia (saliva) emana directamente de aquélla!

(cómo ha podido llegar a su habitación? las visitas no han sido estrictamente vedadas incluso a los familiares más íntimos?, ha vencido el terror colectivo al contagio o se halla infectado también?)

han dicho: bebiéndolo has pecado, mas en verdad no he probado sino aquello de cuya privación habría sido culpable!

(las palabras de Ben Sida, son versos de Ibn al Farid o reproducen de forma incomprensible sus propios y ocultos sentimientos?)

la celda está otra vez vacía, un hueco de unos seis pies de ancho y diez de largo empotrado en la pared de piedra berroqueña, con una única y avariciosa aspillera abierta a la penumbra del corredor

lecho de tablas, manta desgarrada y sucia, cuenco de ceniza, zamarra que no le cubre ni las rodillas, frío, temblores, convulsiones, fiebre

habla, habla aún?

soy de una gente que, cuando ama, muere

la Doña, dicen, no te acuerdas de ella?

la conociste en el convento de la Sierra, era una de esas beatas con puntas de celestina que a fuerza de silogismos falsos y teologías mal entendidas afirman seguir la supuesta vía unitiva de las almas perfectas, buscan fama de santidad y se atribuyen toda suerte de milagros, estigmas y arrobamientos, pretendía que para poner el alma en quietud y derramar del corazón todo criado pensamiento debíase alcanzar el éxtasis férvido y cabal suspensión de los sentidos, aseguraba que no se barruntaba ni de lejos los tiránicos movimientos del cuerpo y se abandonaba con ese pretexto a una cáfila de libidinosidades y torpezas sin perder por ello un ápice de su inocencia, amiga de confesores ilusos y frailes trotamundos vivía rodeada de una cohorte de ellos y les incitaba al dejamiento y contemplación con tocamientos y roces hasta que se producían movimientos de los sentidos palpables y gruesos, enardecimiento, sudor, desmayos, derretimiento en el amor de Dios, con gran escándalo de los espíritus piadosos y rectos, ella, la Doña, afirmaba a quien quería escucharla, y han sido muchos los embaucados y necios, que desde la edad de siete años comenzó a escoltarla en secreto un hermoso mancebo con quien se desposó y vivió en matrimonio, hecho que no reveló a nadie por tratarse del Bienamado, el cual la había favorecido desde entonces con raptos, visiones y el goce de una perpetua castidad imposible de mancillar, aunque fue conocida antes por el nombre de Francisca cuando llegó al convento y la confesaste se hacía llamar la Calancha, tomabas por oro de ley cuanto bajo secreto sacramental te confiaba y la alentabas a proseguir la senda amorosa de las almas sedientas según nos reveló sometida a tormento

mientras componías y recitabas tu poema esotérico y te entregabas al baile giróvago de los otomanos, nuestros ardientes celadores la juzgaron y salió en auto público con una candela negra en la mano, azotada por calles y plazas en castigo y escarnio de sus confabulaciones y abominable comercio!

corrida, expuesta a las iras del pueblo, huyó del país para quitarse la infamia y, después de ejercer sus seducciones maduras con los sarracenos, se acomodó a la sombra luciferina de Voltaire en un antro de aguas, aires, ardores y miedos de la noche veladores en donde, en la cámara negra de sus deliquios y salacidades, las devotas de la noche oscura bajaban a las profundas cavernas del sentido, bebían el adobado vino de enjundiosos cafires o cafres, acaso no recuerdas ya tus propios versos?

la Doña, sí, la Doña, a quien regularmente abonabas sesenta y cinco francos para penetrar con los demás pájaros en sus impuros y cochambrosos aposentos, vieja, viejísima, por mucho que procurara ocultarlo con afeites y maneras de niña, artificiosamente rejuvenecida por operaciones faciales, pelucas y dientes de porcelana, aferrada a su imagen señorial y marchita, erguida, hierática, sorprendida por la irrupción de la plaga en su pequeño trono del minibar, fulminada por el índice del adefesio en la apoteosis de su discreto y subterráneo reino con su prótesis dental de blancura perfecta y llameante cabellera naranja!

por qué demoraban con toda suerte de efugios, dilaciones y trampas la entrega del espejo que insistentemente reclamaba?, temían que la visión demacrada de mi rostro, consumido por la humedad y lobreguez de la celda, enflaquecido por los ayunos y mísera dieta carcelaria, acusara los excesos de crueldad que mostraban conmigo y avalara las palabras de la madre Teresa que mejor quisiera verme en tierra de moros que en manos de quienes me trataban con tanta crudeza y saña?, las manos ahiladas y secas que sobresalían de la odiosa camisa de fuerza de mangas largas parecían garras de ave de presa, el costillar magro amagaba ceder y quebrarse en respuesta a mis ahíncos de enderezarme, la espalda descarnada me hostigaba sin tregua después de sus flagelaciones y varillazos, las rodillas me sostenían apenas cuando, conducido a rastras a la iglesia para el rezo del Miserere, debía soportar de hinojos sus amenazas e injurias, frailecico santurrón y presuntuoso con ínfulas de poeta y docto y en verdad ignaro, soberbio y estólido, empecinado en el error, envanecido con sueños de grandeza, sordo a las decisiones capitulares de Placenza y decretos del Nuncio Apostólico!

se apretujaban a la puerta de la mazmorra, de plática con los alguaciles o el hermano tornero, espiando a través de la mirilla y comentando el menor de mis gestos, fijaos bien cómo mueve los labios, recita en voz baja sus versos para memorizarlos, no quiere ponerlos por escrito porque teme que nos apoderemos de ellos y descubramos su contenido falaz y extravagante, delira por efecto de los opiáceos que le administra el médico y confunde su momentáneo sosiego con iluminaciones divinas y raptos extáticos, su cuerpo es un amasijo de huesos, ha quedado reducido a una sombra y ningún remedio milagroso puede restaurarlo, ha entrado en la fase terminal de la dolencia y su rostro y extremidades se cubren de bubas y enfisemas, ninguna enfermera quiere acercarse a él aun provista de mascarilla y guantes, su organismo se descompone en vida, una masa blanda e informe impregnada de humores se extiende en torno a él en las sábanas, agoniza, lo veis?, su mirada se enturbia, la plaga le corroe lentamente, deshecho, devorado, fundido, vestigio sobrecogedor de sí mismo, una verdadera ruina humana nuestra vida era una ruleta rusa, dice mientras enciende un cigarrillo filipino con manos temblorosas y recompone como puede el rostro devastado, cada encuentro fortuito por bosques y espesuras sin otra ley ni oficio que aquel amor trocado en ejercicio, cada visita al reino de tinieblas que apaga los enojos con llama que consume y no da pena se convertían en una ordalía, el amado de cuya bodega bebíamos y abandonábamos ahítos de su sabrosa ciencia, no sería el instrumento elegido por el destino para aniquilarnos, el disfraz seductor del sayón por el que la maldita de las dos sílabas procedía a ejecutar su sentencia?, cuántas veces, sobre los brazos que más quiero, repetía en mis adentros los versos del sufí maestro de Ben Sida, el corazón dice que eres mi ruina, sea mi alma tu redención, ya lo sepas o no! y, rotas las telas de tan dulce encuentro, regresábamos a nuestras guaridas aterrorizadas, nos había tocado la negra fortuna?, estábamos contaminadas sin saberlo?, la fuente de contagio circulaba ya por nuestra sangre?, el adefesio había iniciado sus incursiones mortíferas por la aljama de las devotas y extendía desde allí sus estragos como reguero de pólvora, el guardián del pozo de la mina, en donde los ansiosos del cerco de presuras y de goces solían trabar sus miembros hasta hacer una piña, topó un amanecer con un denso e inquietante silencio y, de escalera en escalera, túnel en túnel, aposento en aposento, asistió al espectáculo de la gehena, no ya de los mares de luz oscuridad fuego agua nieve y hielo, sino del de cadáveres y cadáveres maniatados, con grillos en los pies y en el cuello, sujetos entre sí con cadenas, colgados de garfios de carnicero, inmovilizados para siempre en sus éxtasis por el índice conminatorio del pajarraco

qué hacer?, dice arropada con sus prendas de Archimandrita tras corregir levemente el trazado del rouge de sus labios, nuestra apariencia vistosa es nuestra condena y las autoridades exigen que nos disfracemos de pájaros, capturadas en nuestras madrigueras, en espera de las carretas y jaulas que nos deben transportar al estadio, discutimos, discutimos sin parar de la especie avícola que elegiremos como si se tratara de un baile de carnaval, una pardela de capirote negro y garganta blanca, cola ahorquillada, vuelo errático?, una paloma torcaz con obispillo gris, franja alar y cuello moteado?, un estornino negruzco, suavemente irisado de verde y de púrpura?, un ánade de moño colgante, bigotera naranja, anillo y lista ocular pálidos, anterior de las alas azul y espejuelo glauco?

arremolinadas en los columpios y bebederos de la pajarera en donde nos tienen expuestas, nos disputamos como colegialas para escoger nuestros atavíos y galas, combinando el modelo y color de los disfraces en un prurito de armonía delirante, no se duerma usted, por favor, me escucha?

estaba solo, se había eclipsado

sereno, alígero, propenso a volar a lo alto, sutil, incoloro, perfecto, me abismaba en la contemplación de las virtudes del pájaro solitario

otra vez en el prado, la hierba, olor a boñiga, bosquecillos de hayas, arroyos rumorosos y cercanos, florecillas, abejas, dulce solicitud veraniega, benignidad solar, brisa ligera, suave trabazón de colinas, campiña fértil, tintineo de esquilas, sincopadas voces, ladridos tenues, sereno verdor de alamedas y frondas ribereñas

nada permitía adivinar la luminosa aparición de los ungidos en sus lides campestres, el intenso y excitante olor de sus cuerpos untados de aceite, escudos pectorales y omóplatos lúbricos, sonrisa abierta y confiada, mostachos rústicos, ojos de honda y sutil liquidez

era pura ilusión de la droga inyectada por el doctor? o estaban proyectando un vídeo sobre las justas en la pared frontera de su habitación?

(por qué?)

(con qué fines?)

querían ponerle a prueba, como le había prevenido Ben Sida, para descubrir sus preferencias íntimas e incluirle en el bando de las apestadas?, se proponían avivar sus moribundos sentidos a fin de hacerle apurar la vida de un trago antes de ejecutar su probable sentencia?, espejismo, visión o fatamorgana, la imagen se imponía y avasallaba, sarmientos, nudos, brazos, tendones, calzones rudos, cabos de cuerda usada, bragaduras combadas y opulentas, estampas de robustez y fiereza, irradiación emblemática

registraban en los gráficos, con sus instrumentos detectores, la rauda fluidez de su sangre, palpitaciones bruscas de su corazón, el deleite y nostalgia ligados a aquella oferta de amistad tardía, pechos hospitalarios, rostros cordiales, mirada comprensiva tocante a sus deseos, al casi extinto y ya imposible amor?

pronto, rápido, agárrate a la sombra huidiza del tiempo, coge tus deseos por el rabo, repasa con celo los recuerdos más bellos, atesora imágenes de cuerpos, rostros, miembros hermosos, instantes felices, afanes colmados, rememora la dichosa plenitud de tus versos y su lectura encendida en voz alta sin olvidar la sonrisa y figura de quienes te inspiraron, las notas del piano expresamente tocadas para ti, tus tormentos y goces de enamorado, apresúrate, no dispones de tiempo, el reló de la mesilla de noche escurre sus últimos granos de arena, frailes comisarios malsines enfermeras doctores parecen agitarse en torno al lecho con mascarillas y guantes protectores, todo ha sido breve, denso, apasionante y confuso como un sueño, infancia estudios vocación escritura beatitud extática, todo soñado!, persecuciones encierro castigos manuscritos quemados, puro sueño!, celda del convento procesión en jaulas soledad de amor herido en las alhamas, igualmente soñados!, despierta de tu sueño, penetra a punto en el que lo contiene, en el círculo de materia incompósita que lo ciñe y abarca, tu vida ha sido recia, los raudales de luz que te deslumbran son fruto de la hiperestesia?, de una droga nueva y más fuerte que tus veladores te han inyectado?, o has llegado al fin al Loto del Término y sus mansos ríos?, recita, recita una vez más los versos traducidos por Ben Sida, la pasión persevera y la unión se demora, el encuentro no llega y la paciencia se agota, si no hay posible amor contigo, prométela al menos a mi esperanza y prolóngala por mí aunque no te propongas realizarla, una tardanza tuya en lo incumplido me resulta infinitamente más dulce que el sí de un amante solícito!

habla, dijo

era el doctor?, un simple carcelero?, acaso el maldiciente prior de los Calzados?, el Nuncio Apostólico en persona?, algún comisario o verdugo a órdenes del Tostado?

en la interior bodega de mi Amado bebí un vino que nos embriagó antes de la creación de la viña

rostros deformes, protuberantes, amazacotados, grotescamente cubiertos de velos y cendales, ojos escrutadores y acechantes, gafas sin montura de turbador centelleo

bébelo puro o mézclalo con saliva del Amado, cualquier otra mixtura sería sacrilegio

se inclinaban hasta él convencidos de que se estaba confesando, prestos a absolverle in extremis de herejías y crímenes inexistentes, el vino y saliva del Amado!, la idea atrevida y fuerte, rauda como un relámpago de tiniebla en medio de la luz cegadora que proyectaban y atravesaba sin misericordia sus párpados se adueñó de él y le dejó temblando, no habría contraído quizá la dolencia con ellos?, cómo quejarse al médico de la enfermedad si la enfermedad venía del Médico?, la audacia de la intuición le sobrecogió y la repitió en sordina para darse ánimos qué dice?, descarga su conciencia?, no, recita versos del fundador entreverados con los de sectarios mahometanos, se identifica de modo impío con el santo, desvaría, blasfema, sigue delirando

si el mal que acababa con él y le reducía a un espectro después de la irrupción de la Zancuda en sus capillas y alhamas procedía del licor y saliva del Amado, la plaga era un don sagrado, el castigo una bendición!, quien le infectara en el ameno huerto deseado, el cuello reclinado sobre los dulces brazos del Amado, no estaba presente en él en su misma ausencia?, en su extremado rigor no había una terneza?, poseído de su dádiva mortal, marcado con su sello divino, no podía entrar ya en donde no sabía y quedar allí no sabiendo con arrimo y sin arrimo?, luces, fulgores, incandescencia, lenitiva inmediatez a Ella, largo pasillo del caserón que conducía al piano y melancólica ejecución de la Sonata, desasido al fin de la cohorte de sus torturadores en el umbral de la noche solitaria, aguardando a Naquir y Muncar en las sombras del hipogeo, apreturas, congojas, interrogatorio, careo, nomadeo sutil del doble o ka junto a la sepultura de Ibn al Farid en el recinto de la Ciudad de los Muertos

VI

la Asamblea de los Pájaros!

ave inquieta y ligera, di un ciego y oscuro salto
y, por una extraña manera, mil vuelos pasé de
un vuelo para reunirme con mis pares en el vasto recinto de aquella hermosísima pajarera do-
tada de perchas, columpios, bebederos, cubetas,
tiestos colgantes de enredaderas y plantas tro-
picales, jardineras con helechos de exuberante
arborescencia, estanques de piedra artificial,
finísimos bancos de arena

había sido invitada ex profeso a ella?, se trataba
de una convocatoria general? o, peor aún, habría caído tontamente como las demás, atraída
por el silbo de un cazador artero?

como ese pavo real que, encapuchado y metido
en un cesto por espacio de largos años, perdie-
ra en las tinieblas e indignidad de su atuendo la
conciencia y hasta el recuerdo de su belleza in-
trínseca y la magnificencia del jardín en el que
se hallaba, y turbado no obstante por el aroma
de las flores y modulaciones de las aves, des-
caecido por el deseo y nostalgia de una realidad
perdida y olvidada, rompiese de golpe los velos

que le envolvían y surgiera a la esplendidez del
jardín e iridiscencia de colores que le adorna-
ban, resucitaba a una vida serena y diáfana,
investida de una apariencia nueva y más fresca,
gozosamente perdidiza y ganada
era una transmigración?
.mis alas, órganos motores de sustentación y pro-
pulsión en el aire reforzados por una musculatu-
ra adecuada, exquisita perfección del plumaje y
la ayuda inapreciable de una cola de gran diver-
sidad de funciones estabilizadoras y direccio-
nales, podían aspirar no sólo a los saltos ágiles y
exaltadores planeos sino a las delicias del vuelo
controlado, la tenue embriaguez de la levitación
ingrávida
desde mi llegada a aquella antesala del xanná o
chama, permanecía absorta en la contemplación y aprendizaje de los lenguajes visuales,
vuelos y adornos ostentativos, despliegue de
colores vistosos y excentricidades de plumaje,
mientras algunas aves se revestían de gris ama-
rillo con designios humildes de camuflaje otras
optaban por colas y airones extravagantes, las
variedades cromáticas del atavío se extendían
desde el cobre intenso y rojo anaranjado a los
colores pastel delicados y suaves, una orquesti-
na de tejedores se consagraba a una llamativa
danza de cortejo, alborotaba y lucía sus abanicos acompañándose con un canto leve y en-
ronquecido

quién y cómo era yo?

entre columpios, troncos, bejucos, ramas y otros instrumentos de diversión, advertí la existencia de un diminuto espejo y me planté frente a él de una volada

me reconocí

contrastando con la abundancia de copetes y abaniqueo de flabelos que me rodeaba, mi sobriedad, adustez y tonos apagados eran los del pajarillo descrito en el *Tratado*

me invadió al punto una intensa y dulce satisfacción, oscilaba mansamente en el mecedor y disfrutaba sin hastiarme de aquella fantástica congregación, canarios de melodía suave musical y versátil, palomas de formas exóticas y caricaturales, mirlos de cola alargada y canto modulado hasta el refinamiento, pájaros de apariencia suntuosa o modesta de sosegado trino y chispeante gorjeo, granívoros apáticos de aspecto mohíno e introvertido, colibrís bulliciosos zumbando en torno a cascabeles, estorninos de índole especulativa y traviesa, especies vivaces y activas, la tortolica y el socio deseado, congéneres de ojos oscuros como recién escapadas del sombrero de un ilusionista, ejemplares implumes o sujetos a mutaciones ambientales, cardenales grises, escribanos de pecho color canela, capuchinos de cabeza negra, todos dispuestos en la vegetación y umbrosidad de la pajarera conforme a una delicada y sutil jerarquía nos manteníamos al acecho de signos reveladores de una existencia pasada y, a través de gorjeos cortos y uniformes, estrofas musicales con pausas variadas, zumbidos sostenidos, cantos de líquida cadencia o una mezcla de notas dulces y broncas, nos comprendíamos e identificábamos

el papagayo de cola amarilla con dos plumas centrales alargadas y verdes, no era alguna de las damas de la terraza acomodadas en los sillones de mimbre de aconchado respaldo?, el periquito de fondo diluido y rabadilla roja, el anciano kirghís de la biblioteca vestido con el pijama listado?, el guacamayo de estridente voz y vanidosa acrobacia, el prior del monasterio griego separado por una vez de su fámulo?

en el pinzón de ojos vivos y lista superciliar ocre creía distinguir la mirada interrogativa del señor mayor, en el gorrión moruno de pecho negro la silueta del joven y audaz profesor de árabe

en qué ramaje o espesura de la pajarera se encontraba Ella?

liberadas de una envoltura ilusoria y estéril, salidas del capuz y cesta opresores a la dulzura y novedad del riad, habíamos renacido ligeras y esbeltas y, en grupos de treinta, como en el conocido texto persa, nos preveníamos para el arduo e incitante viaje, el sobrevuelo de los siete valles escarpados y ásperos hasta la cima solitaria en donde reina S., el pájaro etéreo, incoloro y extático que alegoriza el alma desasida del mundo en las visiones y deliquios del santo escuchábamos, con recogimiento y fervor escuchábamos

emprende el vuelo sin dejar de estar inmóvil, viaja sin cubrir la menor distancia, se aproxima y no recorre espacio alguno, todos los colores dimanan de él pero carece de color, anida en Oriente sin que su lugar en Occidente quede vacuo, las ciencias proceden de su encantamiento y los instrumentos musicales más perfectos de su eco y sus resonancias, se alimenta de fuego y quienquiera que prenda una pluma de sus alas en su costado derecho saldrá indemne de las llamas, la brisa natural brota de su aliento y por ello el amante le revela los misterios del corazón y sus pensamientos más íntimos y secretos

pero trinos, cantos, gorjeos, modulaciones, zureos, transmiten consignas de partida, impacientes rumores, movimientos de alas ahogan su voz, anuncian el comienzo de la gran marcha

sólo tuvo tiempo de copiar aprisa sus versos

en soledad vivía
y en soledad ha puesto ya su nido
y en soledad la guía
a solas su querido
también en soledad de amor herido

antes de volar con las demás aves y cerrar definitivamente las páginas del libro ya compuesto

RECONOCIMIENTOS

A Luce López Baralt, José Ángel Valente y José Martín Arancibia, sin cuyo estímulo, afinidad y ayuda no habría llevado a cabo mi empeño; a Monique Lange, por su presencia activa en mi «vacío» creador; a Abdelhadi; a Jorge Ronet, *in memoriam*; a Marcel Bataillon (*Erasmo y España*), José María Blanco White (*Observaciones sobre herejía y ortodoxia*), Francisco Delicado (*Retrato de la lozana andaluza*), Émile Dermenghem (*Essai sur la mystique musulmane*, prólogo a *Al Jamriya* de Ibn al Farid), Al Attar (*El lenguaje de los pájaros*), Luis de Góngora (*Las soledades*), Crisógono de Jesús (*Vida de San Juan de la Cruz*), Leszek Kolakowski (*Cristianos sin Iglesia*), Luce López Baralt (*San Juan de la Cruz y el Islam*), Mawlana (*Odas a Chams Tabrizi*), Marcelino Menéndez Pelayo (*Historia de los heterodoxos españoles*), Angela Selke (*El Santo Oficio de la Inquisición*), Suhrawardi (*L'archange empourpré*, textos presentados por Henry Corbin), Colin Peter Thompson (*El poeta y el místico. Un estudio sobre «El Cántico Espiritual» de San Juan de la Cruz*), a los que me refiero o cito en distintos pasajes del libro. A San Juan de la Cruz, cuya *Obra Completa* (edición de Licinio Ruano de la Iglesia) vertebra la estructura de la novela.

Este libro
se terminó de imprimir
en los Talleres Gráficos
de Printing 10, S. L.,
Móstoles, Madrid (España)
en el mes de abril de 1997